세종 한국어

―――― 익힘책 ――――

4A

문화체육관광부
국립국어원

발간사

최근 전 세계인이 접하는 한류 콘텐츠의 규모가 늘어나면서 한류 문화가 확산되고 있고, 그 결과로 한국어를 배우고자 하는 외국인 학습자의 기세가 매우 놀랍습니다. 세계 곳곳이 코로나19로 침체기를 겪던 2021년에도 한국어능력시험 응시자는 30만 명을 훌쩍 넘었으며, 문화체육관광부의 세종학당은 2007년 13곳에서 2022년에는 84개국 244개소로 증가하였습니다. 이러한 한류의 지속적인 확산을 뒷받침하기 위해서는 한국어교육의 탄탄한 지원이 필요합니다.

한류 콘텐츠와 함께 성장하는 한국어교육의 토대를 다지기 위해, 문화체육관광부와 국립국어원은 2011년 처음 발간된 《세종한국어》를 새로 다듬기로 하였습니다. 2019년부터 기초 연구를 시작한 교재 개정 작업은 3년의 시간을 들여, 2022년 드디어 새로운 《세종한국어》를 펴내게 되었고, 이를 세종학당재단과 함께 알리게 되었습니다.

새롭게 개정된 《세종한국어》는 첫째, 세종학당 곳곳에서 한국어를 배우고자 하는 열의로 가득 찬 외국인 학습자 중심의 교재를 지향하였습니다. 둘째, 현지 세종학당의 학습 환경에 따라 유연하게 활용할 수 있는 맞춤형 교재로 정비되었습니다. 셋째, 한류 콘텐츠에 대한 외국인들의 관심을 내용에 반영함으로써, 한국어 공부에 대한 학습자의 부담을 낮췄습니다. 마지막으로 세종학당을 대표하는 표준 교재로서 구심점 역할을 담당하고, 이후의 한국어 학습을 위한 연계성도 잘 갖추었습니다.

세종학당은 한국어와 한국 문화로 한국과 세계를 연결하는 대한민국 대표의 국외 한국어교육 기관입니다. 국립국어원과 문화체육관광부는 앞으로도 세종학당재단과 협력하여 전 세계에서 한국어를 사랑하는 이들이 꿈을 이룰 수 있도록 지속적인 노력과 지원을 아끼지 않겠습니다.

끝으로 교재 개발을 위해 최선의 노력을 기울여 주신 연구·집필진과 출판사 관계자분들께 진심으로 감사의 말씀을 드립니다. 《세종한국어》의 새로운 출발과 함께 문화체육관광부와 국립국어원, 세종학당재단이 세계로 더 나아갈 수 있도록 여러분의 따뜻한 관심 부탁드립니다.

2022년 8월
국립국어원장 장소원

머리말

　세종학당은 한국과 전 세계를 연결하는 한국어·한국 문화 보급 기관입니다. 이번에 개발한 교재는 상호 문화주의에 기반하여 한국어 학습에 대한 학습자의 흥미를 증진함으로써 한국어 의사소통 능력을 향상시키는 것을 목표로 하였습니다. 이를 위해 최근 한국의 상황을 적극적으로 반영하였고 최신 교수법을 구현할 수 있는 새로운 구성과 디자인을 적용하였습니다. 이를 통해 국외 한국어교육의 방향성을 새롭게 제시하고자 하였습니다. 개정《세종한국어》의 구체적 특징은 다음과 같습니다.

　첫째, 세종학당의 표준 교육과정인 가형, 나형, 다형 전 과정에 탄력적으로 활용할 수 있도록 '기본 교재'와 '더하기 활동 교재'로 구분하였습니다. '기본 교재'에는 해당 등급에 필요한 핵심적인 내용을 담았으며, '더하기 활동 교재'에는 심화·확장이 필요한 언어 지식과 의사소통 활동을 담았습니다. 이를 통해 다양한 학습자 특성에 맞게 교재를 선택하여 사용할 수 있도록 하였습니다.

　둘째, 효과적 교수·학습을 위해 단계별로 단원 구성을 차별화하였으며 학습 내용 또한 언어 발달 단계에 맞는 교수 학습 내용과 절차를 적용하였습니다. 특히 다양한 삽화와 시각적 자료를 적극적으로 제시하여 한국어 학습의 흥미를 극대화할 수 있도록 노력하였습니다.

　셋째, 교재 전반에 생생한 한국 문화 내용을 배치하여 학습자들이 상호 문화적 관점에서 한국 문화를 이해하고, 궁극적으로는 자국의 문화와 한국 문화에 대한 바른 태도를 형성할 수 있도록 하였습니다.

　넷째, 교재와 함께 '익힘책', '교사용 지도서', '어휘·표현과 문법', 수업용 PPT와 같은 보조 자료들을 개발하여 교사·학습자의 요구에 맞게 교재를 활용할 수 있도록 하였습니다.

　이 교재를 기획하고 개발하는 모든 과정에 함께해 주신 국립국어원과 현지 학당과의 협조와 지원을 아끼지 않으신 세종학당재단, 그리고 학습자들이 재미있게 한국어를 배울 수 있도록 멋지게 디자인해 주신 공앤박출판사에 감사의 마음을 전하고 싶습니다. 끝으로 3년이라는 긴 시간 동안 오로지 한국어교육에 대한 열정으로 좋은 교재를 만들어 내기 위해 애써 주신 모든 집필진께 말로는 다할 수 없는 깊은 감사의 마음을 전합니다.

2022년 8월
저자 대표 이정희

차례

1. 다음과 같이 빈칸을 채워 보십시오.

		-는다면 / ㄴ다면 / 다면
1)	한국으로 유학을 가다	한국으로 유학을 간다면
2)	장학금을 받다	
3)	돈을 많이 벌다	
4)	농구 선수가 키가 작다	
5)	한여름에도 날씨가 선선하다	
6)	인터넷이 없다	
7)	영화 속 주인공이 되다	

2. 다음과 같이 문장을 바꿔 보십시오.

 만약에 외국에서 한 달 동안 산다. 그러면 여유롭게 카페에서 커피를 마실 것이다.
→ 만약에 외국에서 한 달 동안 산다면 여유롭게 카페에서 커피를 마실 것이다.

1) 만약에 세계 일주를 한다. 그러면 세계의 맛있는 음식을 다 먹어 보고 싶다.

　→ _____.

2) 만약에 내 목이 기린같이 길다. 그러면 콘서트를 편하게 관람할 수 있을 것이다.

　→ _____.

3) 만약에 우주를 여행할 수 있다. 그러면 달에 가 볼 것이다.

　→ _____.

4) 만약에 네가 꽃이 된다. 그러면 나는 한 마리 나비가 되고 싶다.

　→ _____.

3. '-는다면 / ㄴ다면 / 다면'이나 '-(으)면' 중 알맞은 것을 사용해서 문장을 만들어 보십시오.

 과거로 돌아가다 → 과거로 돌아간다면 로또 당첨 번호를 기억해서 로또를 살 거예요.

 리모컨을 누르다 → 리모컨을 누르면 텔레비전의 전원이 켜질 거예요.

1) 소설 속 주인공을 만나다 → _____ 소설이 끝난 후의 안부를 물어볼 거예요.

2) 내일 한국에 도착하다 　→ _____ 꼭 어머니께 안부 전화를 하세요.

3) 지금 도로에 있다 　→ _____ 위험합니다. 인도로 올라가세요.

4) 고양이가 되다 　→ _____ 매일 낮잠을 잘 거예요.

-았으면 / 었으면 하다

1. 다음과 같이 빈칸을 채워 보십시오.

		-았으면 / 었으면 하다
1)	1년 정도 여행을 다니다	1년 정도 여행을 다녔으면 해요.
2)	하루 종일 잠을 자다	
3)	이번 회사는 복지가 좋다	
4)	유학 간 친구가 건강하다	
5)	내일 볼 영화가 감동적이다	
6)	입학시험이 쉽다	
7)	친구가 결혼식에 오다	

2. 다음과 같이 문장을 바꿔 보십시오.

 한국어를 배우러 한국에 어학연수를 가고 싶어요.
→ 한국어를 배우러 한국에 어학연수를 갔으면 해요.

1) 한 번쯤은 개인 방송 채널을 만들어 보고 싶어요.

→ _____.

2) 내일은 바람이 안 불고 날씨가 포근하면 좋겠어요.

→ _____.

3) 이번 주는 바빠서 기말고사가 다음 주면 좋겠어요.

→ _____.

4) 내가 살 집은 내가 직접 짓고 싶어요.

→ _____.

3. '-았으면 / 었으면 하다'를 사용해서 문장을 만들어 보십시오.

1) 전공 공부, 지금보다 더 잘하다

→ _____.

2) 이번에 신청하다, 수업, 흥미롭다

→ _____.

3) 친구 할아버지, 많이 편찮으신 것, 아니다

→ _____.

4) 키우다, 강아지, 제 말을 잘 듣다

→ _____.

1. 다음에서 알맞은 말을 골라 쓰십시오.

| 캠핑카 여행 | 패러글라이딩 | 개인 방송 채널 만들기 | 내가 살 집 짓기 | 외국에서 한 달 살기 |

1) [   ] : 내가 살 집을 스스로 만드는 것.

2) [   ] : 한 달 동안 외국에서 그 나라 사람들처럼 사는 것.

3) [   ] : 집처럼 생활할 수 있는 차를 타고 다니면서 하는 여행.

4) [   ] : 내가 만든 영상을 사람들에게 보여 주기 위해서 인터넷에 채널을 만드는 것.

5) [   ] : 하늘을 날 수 있게 도와주는 가방을 메고 높은 곳에서 아래로 뛰어내리는 스포츠.

2. 다음에서 알맞은 말을 골라 글을 완성하십시오.

| 세계 일주 | 한 달 살기 | 패러글라이딩 | 캠핑카 여행 | 세계의 맛있는 음식을 다 먹어 보기 |

　나의 버킷 리스트(bucket list) 중 하나는 1) ＿＿＿＿＿＿＿＿＿＿. 먼저 남아프리카 공화국부터 짐바브웨까지 차에서 생활하면서 이동하는 2) ＿＿＿＿＿＿＿＿＿, 그리고 유럽으로 가서 3) ＿＿＿＿＿＿＿＿＿＿＿ 할 계획이다. 높은 산에서 아래로 뛰어내리는 것은 잊지 못할 경험이 될 것이다. 그다음에는 미국 뉴욕에서 4) ＿＿＿＿＿＿＿＿＿＿ 하고 싶다. 뉴욕 사람처럼 시장에서 장을 보고 여유롭게 공원을 산책할 것이다. 그러나 나의 진짜 목표는 5) ＿＿＿＿＿＿＿＿＿＿＿ 것이다. 멕시코의 타코, 콜롬비아의 커피, 베트남의 쌀국수, 인도의 커리를 그 나라에서 먹어 보는 것이 또 다른 나의 버킷 리스트다.

1. 다음을 잘 듣고 남자가 보는 영상의 내용이 무엇인지 써 보십시오.

01

2. 다시 한번 들으면서 빈칸에 알맞은 말을 써 보십시오.

02

안나 : 무슨 영상을 그렇게 열심히 보고 있어?

유진 : 아, 이거. 1) _____.

안나 : 와! 좋겠다. 2) _____.

다들 표정이 행복해 보이네.

유진 : 그렇지? 나도 졸업하기 전에 3) _____

_____. 그래서 영상을 찾아보고 있었어.

안나 : 그럼 우리 이번 방학 때 캠핑카 빌려서 같이 여행 가자. 사실 나도 4) _____

_____.

유진 : 그럼 나야 좋지. 캠핑카를 타고 가다가 분위기 좋은 곳에 차를 세우고 5) _____

_____. 어때?

안나 : 생각만 해도 낭만적이다. 우리 구체적으로 계획 좀 세워 보자.

3. 대화를 듣고 따라 해 보십시오.

03

1) 대화를 보면서 듣고 따라 해 보십시오.

2) 대화를 보지 않고 들으면서 따라 해 보십시오.

4. 발음과 억양에 유의해서 다음 문장을 듣고 따라 해 보십시오.

04

나도 / 졸업하기 전에 / 친구들과 같이 / 이런 여행을 한번 가 봤으면 해.

1. 다음 글을 읽고 질문에 답하십시오.

한 시골 마을의 초등학교에 80대 할머니 4명이 입학해서 화제가 되고 있다. 이 할머니들은 어렸을 때 여러 가지 사정으로 초등학교를 다니지 못했다. 그래서 학교에 다니면서 공부하는 것이 평생소원이었는데, 드디어 그 소원을 이룰 수 있게 되었다.

3월 2일에 학교 운동장에서 입학식이 열렸다. 다른 신입생들과 함께 입학식에 참석한 할머니들은 기쁜 표정을 감추지 못했다. 그리고 학교를 다닐 수 있게 허락해 준 학교와 선생님들께 감사 드린다고 말했다. 이날 입학식에 함께 한 재학생과 학교 선생님들은 할머니들의 용기 있는 도전에 응원의 박수를 보냈다. 학교 선생님들은 태어나서 처음 학생이 되는 할머니들께 책가방을 선물하기도 하였다.

한 할머니는 "그동안 글자를 몰라서 불편한 점이 많았는데 학교에 다니면서 읽고 쓰는 법을 배운다면 생활이 훨씬 편리해질 것 같다."라며 "빨리 글자를 배워서 책도 읽고 휴대폰 문자 메시지도 보낼 수 있었으면 한다."라고 말했다.

1) 윗글의 제목으로 가장 어울리는 것을 고르십시오.

① 시골 초등학교의 입학식 준비
② 할머니들을 위한 책 읽기 수업
③ 할머니들이 학교에 다니지 못한 이유
④ 초등학교 입학으로 화제가 된 할머니들

2) 윗글의 내용과 같은 것을 고르십시오.

① 이 초등학교에 입학한 학생은 모두 네 명이다.
② 할머니들은 처음으로 학교 교육을 받게 되었다.
③ 이 초등학교 학생들은 모두 책가방을 선물 받았다.
④ 할머니들은 사정이 있어서 입학식에 참석하지 못했다.

2. 중요한 내용에 표시하면서 다시 한번 읽어 보십시오.

1. 앞에서 읽은 글의 내용을 떠올려 보십시오. 읽은 내용을 간단히 정리해 보십시오.

2. 다음의 핵심어를 참고하여 빈칸에 알맞은 문장을 써서 글을 완성해 보십시오.

한 시골 마을의 초등학교에 80대 할머니 4명이 입학해서 화제가 되고 있다. 이 할머니들은 어렸을 때 여러 가지 사정으로 초등학교를 다니지 못했다. 그래서 1)

_____, (학교, 공부, 평생소원) 드디어 그 소원을 이룰 수 있게 되었다.

3월 2일에 학교 운동장에서 입학식이 열렸다. 다른 신입생들과 함께 2) _____

_____. (입학식, 할머니, 기쁜 표정)

그리고 학교를 다닐 수 있게 허락해 준 학교와 선생님들께 감사 드린다고 말했다. 이날 입학식에 함께 한 재학생과 학교 선생님들은 3)

_____. (할머니, 도전, 박수) 학교 선생님들은 태어나서 처음 학생이 되는 할머니들께 책가방을 선물하기도 하였다.

한 할머니는 "그동안 글자를 몰라서 불편한 점이 많았는데 학교에 다니면서 4)

_____

_____." (읽고 쓰는 법, 생활, 편리해지다)라며 "빨리 글자를 배워서 책도 읽고

5) _____

_____." (휴대폰 문자 메시지, 보내다)라고 말했다.

-(으)ㄹ 만하다

1. 다음과 같이 빈칸을 채워 보십시오.

		-(으)ㄹ 만하다
1)	속초 여행, 한번 해 보다	속초 여행은 한번 해 볼 만해요.
2)	요즘, 그럭저럭 지내다	
3)	이 옷, 조금 작지만 입다	
4)	내 친구, 대회에서 상을 받다	
5)	그 콘서트, 표가 매진되다	
6)	지금, 혼자 살다	
7)	이 탁자, 무겁지만 들다	

2. 다음과 같이 문장을 바꿔 보십시오.

캐나다 루이스호수는 자연 경관이 뛰어나서 여행하기 정말 좋아요.
→ 캐나다 루이스호수는 자연 경관이 뛰어나서 여행할 만해요.

1) 경주박물관은 볼거리가 많아서 관람하기 좋아요.

→ _____.

2) 이 구두는 굽은 높지만 걸을 때 편해서 신기 좋아요.

→ _____.

3) 이 책은 내용이 어렵지 않아서 가볍게 읽기 좋아요.

→ _____.

4) 떡국은 재료가 간단해서 집에서 만들기 좋아요.

→ _____.

3. '-(으)ㄹ 만하다'를 사용해서 문장을 만들어 보십시오.

1) 요즘, 입다, 옷, 없다   → _____.

2) 영화관, 보다, 영화, 별로 없다 → _____.

3) 우리 동네, 구경하다, 곳, 많다   → _____.

4) 이야기를 나누다, 카페, 찾다   → _____.

1. 다음과 같이 문장을 바꿔 보십시오.

> 아까 한국관광공사 홈페이지를 보더라고요. 한국에 여행을 갈 계획이에요?
> → 아까 한국관광공사 홈페이지를 보던데 한국에 여행을 갈 계획이에요?

1) 사람들이 제주도 여행을 많이 가더라고요. 우리도 한번 가 볼까요?

→ _____ ?

2) 요즘 안나 씨가 바쁘더라고요. 무슨 일이 있나 봐요.

→ _____ .

3) 이 옷은 팔에 얼룩이 있더라고요. 새것으로 주세요.

→ _____ .

4) 다음 주 월요일이 어버이날이더라고요. 부모님 선물은 준비했어요?

→ _____ ?

5) 한국어 실력이 많이 늘었더라고요. 공부 방법 좀 알려 주세요.

→ _____ .

2. '−던데'를 사용해서 문장을 만들어 보십시오.

1) 낙산공원, 구경할 만하다, 가 보다

→ _____ .

2) 이번에 새로 나오다, 노래가 좋다, 들어 보다

→ _____ ?

3) 이 영화는 별로다, 다른 것을 보다

→ _____ .

4) 어제 정장을 입다, 무슨 일 있다

→ _____ ?

장소의 특징

1. 다음에서 알맞은 말을 골라 쓰십시오.

이국적이다	현대적이다	활기가 넘치다	색다르다	신기하다

1) [   ] : 보통 것과 다르게 특별하다.

2) [   ] : 우리가 지금 살고 있는 모습과 비슷하다.

3) [   ] : 우리 나라가 아닌 다른 나라와 비슷한 모습이다.

4) [   ] : 사람들이 여러 가지 일을 하면서 활발하게 움직이는 분위기이다.

5) [   ] : 처음 보는 것이라서 새롭고 이상하다.

---

2. 다음에서 알맞은 말을 골라 글을 완성하십시오.

여유롭다	낭만적이다	전망이 좋다	역사가 깊다	촬영지로 유명하다

경주는 오래된 건축물이 많이 남아 있는 1) _____ 도시이다. 불국사는 산속에 있는 아름다운 절로, 천천히 둘러보면서 조용하고 2) _____ 시간을 보내기에 좋다. 불국사는 영화나 드라마 3) _____. 불국사 뒤의 석굴암은 4) _____ 많은 사람들이 찾는다. 석굴암에 올라서면 경주 시내를 내려다볼 수 있기 때문이다. 첨성대 근처 황리단길은 다양한 음식점과 예쁜 카페가 있어서 연인들이 시간을 보내기에 좋은 5) _____ 곳이다.

1. 다음을 잘 듣고 질문에 답하십시오. 🔊 01

1) 여자는 어디로 여행을 가려고 합니까?

....

2) 남자가 추천한 장소는 어디입니까?

....

2. 다시 한번 들으면서 빈칸에 알맞은 말을 써 보십시오. 🔊 02

안나 : 해리 씨도 호주에 여행을 가 본 적이 있지요?

해리 : 네. 작년에 친구하고 호주 멜버른에 갔다 왔어요. 안나 씨는요?

안나 : 저는 이번에 멜버른에 가려고 해요. 그런데 1) .... ?

해리 : 저는 멜버른에서 퀸 빅토리아 시장이 좋았어요. 멜버른 시내에 있는 큰 시장인데 2) ....

.... 재미있었어요.

안나 : 여행 책에서 보니까 멜버른 왕립 3) .... ?

해리 : 네. 거기도 4) ....

산책하는 것을 좋아한다면 5) ....

3. 대화를 듣고 따라 해 보십시오. 🔊 03

1) 대화를 보면서 듣고 따라 해 보십시오.

2) 대화를 보지 않고 들으면서 따라 해 보십시오.

4. 발음과 억양에 유의해서 다음 문장을 듣고 따라 해 보십시오. 🔊 04

여행 책에서 보니까 / 멜버른 왕립 식물원도 있다고 하던데 / 거기도 가 봤어요?

1. 다음 글을 읽고 질문에 답하십시오.

> 우리 동네에는 갈 만한 곳이 많이 있다. 그중에서도 내가 가장 좋아하는 곳은 바로 공원이다. 우리 동네에는 큰 공원이 두 개나 있어서 나는 주말에 시간이 있을 때마다 공원에 자주 간다.
>
> 첫 번째 공원은 호수와 넓은 잔디밭이 있는 공원이다. 그 공원에는 작은 공연을 하는 예술가들도 많이 있어서 볼거리가 많이 있다. 음식을 싸 가서 벤치나 잔디밭에서 먹으면서 여유로운 시간을 보내기에도 좋다. 공원 주변에는 이국적인 식당들도 많이 있어서 데이트를 할 때도 갈 만하다.
>
> 두 번째 공원은 조금 높은 곳에 있고 나무가 많은 공원이다. 그 공원에 가면 시내가 한눈에 보일 정도로 전망이 좋다. 나는 운동을 하고 싶을 때에 그 공원에 간다. 높은 곳에 있는 공원에 올라가다 보면 숨이 차지만 상쾌한 기분을 느낄 수 있다. 그리고 공원에서 시내 전망을 보면 마음이 시원해진다.

1) 윗글에 대한 설명으로 같은 것을 고르십시오.

① 여행을 오는 사람들에게 장소를 추천하고 있다.
② '나'가 가 보고 싶은 곳에 대해 이야기하고 있다.
③ 다른 사람에게 자신의 여행 경험을 이야기하고 있다.
④ '나'가 사는 동네에서 갈 만한 곳에 대해 소개하고 있다.

2) 글쓴이가 소개하는 첫 번째 장소와 두 번째 장소에 대한 설명을 분류해 보십시오. 첫 번째 장소에 대한 설명에는 1, 두 번째 장소에 대한 설명에는 2를 쓰십시오.

① 호수와 넓은 잔디밭이 있다.   (   )
② 나무가 많고 운동하기에 좋다.   (   )
③ 주변에 이국적인 식당들이 많이 있다.   (   )
④ 시내가 한눈에 보일 정도로 전망이 좋다. (   )

2. 중요한 내용에 표시하면서 다시 한번 읽어 보십시오.

1. 앞에서 읽은 글의 내용을 떠올려 보십시오. 읽은 내용을 간단히 정리해 보십시오.

_____

_____

_____

_____

_____

_____

2. 다음의 핵심어를 참고하여 빈칸에 알맞은 문장을 써서 글을 완성해 보십시오.

    우리 동네에는 갈 만한 곳이 많이 있다. 그중에서도 1) _____

_____. (나, 좋아하다, 공원) 우리 동네에는 큰 공원이 두 개나

있어서 나는 주말에 시간이 있을 때마다 공원에 자주 간다.

    첫 번째 공원은 호수와 넓은 잔디밭이 있는 공원이다. 그 공원에는 작은 공연을 하는 예술가들도

많이 있어서 볼거리가 많이 있다. 음식을 싸 가서 벤치나 잔디밭에서 먹으면서 2) _____

_____. (여유, 시간을 보내다) 공원 주변에는

3) _____

_____. (이국적, 식당, 데이트)

    두 번째 공원은 조금 높은 곳에 있고 나무가 많은 공원이다. 그 공원에 가면 4) _____

_____. (시내, 한눈에 보이다, 전망이 좋다)

나는 운동을 하고 싶을 때에 그 공원에 간다. 높은 곳에 있는 공원에 5) _____

_____. (올라가다, 숨이 차다, 상쾌한 기분) 그리고 공원에서 시내 전망을 보면 마음이 시원해진다.

1. 다음과 같이 빈칸을 채워 보십시오.

		-는대요 / ㄴ대요 / 대요
1)	이번에 장학금을 받다	이번에 장학금을 받는대요.
2)	공원에서 콘서트가 열리다	
3)	경주는 역사가 깊다	
4)	태국은 겨울에도 따뜻하다	
5)	두바이는 현대적이다	
6)	세계 일주가 버킷 리스트(bucket list)이다	
7)	한국에 취직할 것이다	

2. 다음과 같이 문장을 전달해 보십시오.

 "봉민호 감독의 영화가 개봉해요."
→ 봉민호 감독의 영화가 개봉한대요.

1) "얼마 전에 시온의 신곡이 나왔어요."

　　→ _____.

2) "동대문에서는 싸고 좋은 물건을 팔아요."

　　→ _____.

3) "그 식당은 조용하고 분위기가 좋아요."

　　→ _____.

4) "유진 씨가 지금 병원에 있어요."

　　→ _____.

3. <u>틀린</u> 부분을 찾아 알맞게 고쳐 보십시오.

1) 오늘 날씨가 어제보다 흐린대요.　　　　　→ _____.

2) 이건 안나 씨의 가방이 아니대요.　　　　　→ _____.

3) 작년에 전 재산 100억 원을 과학대학교에 기부한대요. → _____.

4) 민수 씨가 다음 달에 결혼하는대요.　　　　→ _____.

–내요, –(으)래요, –재요

1. 다음과 같이 빈칸을 채워 보십시오.

		-내요, -(으)래요, -재요
1)	민수 씨 결혼식에 가요?	민수 씨 결혼식에 가내요.
2)	한국은 여름에 더워요?	
3)	다시 생각해 봤어요?	
4)	아침은 꼭 드세요.	
5)	속초에 가 보세요.	
6)	내일 같이 등산 가요.	
7)	같이 봉사 활동을 해요.	

2. 다음과 같이 문장을 전달해 보십시오.

"개인 방송 채널을 만들면 그때 보세요."
→ 개인 방송 채널을 만들면 그때 보래요.

1) "유학 생활은 어땠어요?"

   → _____ .

2) "환경 보호를 위해서 기부하세요."

   → _____ .

3) "여기에서 사진을 같이 찍어요."

   → _____ .

4) "한국으로 유학 가면 세 명이서 같이 살아요."

   → _____ .

3. '-내요, -(으)래요, -재요'를 사용해서 전달하는 문장을 만들어 보십시오.

1) "이 드라마가 인기를 끌 것 같아요?"　　→ _____ .

2) "스트레스를 받으면 일상에서 벗어나 보세요."　→ _____ .

3) "나이가 들면 사회에 모두 기부하자."　　→ _____ .

4) "영화제에서 수상한 영화를 보자."　　→ _____ .

소식

1. 다음에서 알맞은 말을 골라 쓰십시오.

콘서트가 열리다	영화가 개봉하다	수상하다	기부하다	경제가 발전하다

1) [   ] : 악기 연주나 노래, 춤 등의 공연이 이루어지다.

2) [   ] : 다른 사람을 돕기 위해서 돈이나 물건을 내다.

3) [   ] : 돈을 벌거나, 쓰거나, 무역을 하는 등의 활동이 더 좋아지다.

4) [   ] : 무엇을 잘하거나 좋은 성적을 받아서 상을 받다.

5) [   ] : 새 영화를 사람들에게 처음으로 공개하다.

---

2. 다음에서 알맞은 말을 골라 글을 완성하십시오.

개봉하다	흥행에 성공하다	수상하다	유행하다	해외에 진출하다

　곧 봉민호 감독의 〈지하세계〉가 한국에서도 1) ＿＿＿＿＿＿＿＿＿＿. 이 영화는 해외 유명 영화제에서 2) ＿＿＿＿＿＿＿＿ 한국 영화도 3) ＿＿＿＿＿＿＿＿ 성공할 수 있다는 것을 다시 한번 보여 주었다. 벌써부터 〈지하세계〉 포스터를 따라 하는 것이 인터넷에서 사람들 사이에 4) ＿＿＿＿＿＿＿＿ 있다. 이 영화의 예매 순위는 올해 개봉한 영화 중 1위로 한국에서도 5) ＿＿＿＿＿＿＿＿ 수 있을 것이라 기대된다.

① 1. 다음을 잘 듣고 들은 내용과 같은 것을 고르십시오.

①　수지는 영화관에 가서 영화를 봤다.

②　마리는 시험 때문에 영화를 못 봤다.

③　영화가 영화관에서 다시 상영될 것이다.

④　〈무지개〉가 한국 영화제에서 상을 받았다.

② 2. 다시 한번 들으면서 빈칸에 알맞은 말을 써 보십시오.

안나 : 수지야, 그 소식 들었어? 한국 영화 〈무지개〉의 주인공이 1) _____

_____ .

수지 : 나도 아까 뉴스에서 봤어. 그 영화제에서 2) _____

_____ .

안나 : 응. 그래서 기사가 많이 나왔더라고.

수지 : 그런데 영화가 무슨 내용이야? 나는 3) _____ .

안나 : 나도 못 봤어. 그런데 4) _____

_____ .

수지 : 나도 한번 보고 싶다. 요즘에도 볼 수 있는 곳이 있을까?

안나 : 5) _____ .

우리 같이 보러 갈까?

수지 : 그래. 그럼 같이 보러 가자.

③ 3. 대화를 듣고 따라 해 보십시오.

1)　대화를 보면서 듣고 따라 해 보십시오.

2)　대화를 보지 않고 들으면서 따라 해 보십시오.

④ 4. 발음과 억양에 유의해서 다음 문장을 듣고 따라 해 보십시오.

이번에 / 상 받은 기념으로 / 영화관에서 / 다시 상영을 한대.

1. 다음 글을 읽고 질문에 답하십시오.

세종뉴스

최근 한강산업이 집에서 직접 만들어 먹을 수 있는 막걸리를 개발했다. 막걸리는 만드는 과정이 복잡하고 시간이 많이 걸리기 때문에 직접 만들기가 쉽지 않다. 그런데 한강산업이 개발한 막걸리는 재료에 물을 넣고 일주일만 기다리면 막걸리가 완성된다. 한강산업 개발 팀장 신영희 씨는 "자신만의 막걸리를 만들어 먹고 싶은 분들에게 추천하고 싶어요. 만드는 과정이 복잡하지 않아서 누구나 만들 수 있어요."라고 말했다. 한강산업에서 만드는 막걸리는 국내와 해외에서 모두 인기가 많다. 한강산업은 2016년에 과일 막걸리를 수출하면서 처음으로 해외에 진출하였다. 복숭아, 바나나 등 다양한 과일을 넣어서 만든 이 막걸리는 특히 외국의 젊은이들에게 반응이 좋았다. 이번에 개발한 막걸리도 해외로 수출할 예정이다. 한강산업은 언제 어디서나 간편하게 만들어 먹을 수 있는 이 제품으로 해외 시장에서 막걸리의 인기가 이어지기를 기대하고 있다.

1) 윗글의 제목으로 가장 어울리는 것을 고르십시오.

   ① 과일 막걸리를 만드는 방법
   ② 해외 수출을 시작하는 막걸리
   ③ 직접 만들어 먹을 수 있는 막걸리 개발
   ④ 젊은 사람들이 막걸리를 좋아하는 이유

2) 윗글의 내용과 같은 것을 고르십시오.

   ① 과일 막걸리는 나이 많은 사람들이 더 좋아한다.
   ② 한강산업은 올해 처음으로 막걸리를 수출하게 되었다.
   ③ 직접 만들어 먹는 막걸리는 2016년부터 생산되고 있다.
   ④ 한강산업이 이번에 개발한 막걸리는 만드는 과정이 간단하다.

2. 중요한 내용에 표시하면서 다시 한번 읽어 보십시오.

1. 앞에서 읽은 글의 내용을 떠올려 보십시오. 읽은 내용을 간단히 정리해 보십시오.

....

....

....

....

....

....

2. 다음의 핵심어를 참고하여 빈칸에 알맞은 문장을 써서 글을 완성해 보십시오.

최근 한강산업이 집에서 1) _____

_____. (직접 만들다, 막걸리, 개발) 막걸리는 만드는 과정이 복잡하고 시간이 많이 걸리기 때문에 직접 만들기가 쉽지 않다. 그런데 한강산업이 개발한 막걸리는 재료에 물을 넣고 일주일만 기다리면 막걸리가 완성된다. 한강산업 개발 팀장 신영희 씨는 "자신만의 막걸리를 2) _____. (만들어 먹다, 추천하다) 만드는 과정이 복잡하지 않아서 누구나 만들 수 있어요."라고 말했다. 한강산업에서 만드는 막걸리는 3) _____. (국내, 해외, 인기가 많다) 한강산업은 2016년에 4) _____

_____. (과일 막걸리, 수출, 해외에 진출하다) 복숭아, 바나나 등 다양한 과일을 넣어서 만든 이 막걸리는 특히 외국의 젊은이들에게 반응이 좋았다. 이번에 개발한 막걸리도 해외로 수출할 예정이다. 한강산업은 언제 어디서나 간편하게 만들어 먹을 수 있는 이 제품으로 5) _____

_____.

(해외 시장, 막걸리의 인기, 이어지다, 기대)

1. 다음과 같이 빈칸을 채워 보십시오.

		(으)로 인해서
1)	강한 바람	강한 바람으로 인해서
2)	환경 오염	
3)	어제부터 내린 폭설	
4)	기업의 해외 진출	
5)	게임 중독	
6)	밤길 교통사고	
7)	무더운 날씨	

2. 다음과 같이 문장을 바꿔 보십시오.

홍수 때문에 많은 피해가 발생했다.
→ 홍수로 인해서 많은 피해가 발생했다.

1) 큰 산불 때문에 동물들이 살 곳을 잃었다.

→ _____.

2) 큰 폭발 때문에 많은 부상자와 사망자가 발생하였다.

→ _____.

3) 심한 추위 때문에 도로가 얼어 교통 상황이 좋지 않다.

→ _____.

4) 도시의 비싼 물가 때문에 시골로 이사 가는 사람들이 늘어났다.

→ _____.

3. '(으)로 인해서'를 사용해서 문장을 만들어 보십시오.

1) 가뭄, 물고기가 죽다, 피해가 발생하다 → _____.

2) 스트레스, 두통이 생기다, 신경이 날카로워지다 → _____.

3) 일회용품 사용, 환경 오염, 심각해지다 → _____.

4) 전쟁, 경제, 어려워지다 → _____.

1. 다음과 같이 빈칸을 채워 보십시오.

		-(으)면서
1)	전염병이 발생하다	전염병이 발생하면서
2)	담배를 끊다	
3)	한국 드라마를 보다	
4)	야식을 즐기다	
5)	한국어 수업을 듣다	
6)	사람들을 돕다	
7)	집을 짓다	

2. 다음과 같이 문장을 바꿔 보십시오.

 가스 폭발이 일어났다. 그래서 많은 부상자가 생겼다.
→ 가스 폭발이 일어나면서 많은 부상자가 생겼다.

1) 강한 비바람이 불었다. 그래서 항공기 운항이 취소되었다.

→ ....

2) 봄이 왔다. 그래서 공원에 사람들이 많아졌다.

→ ....

3) 밤마다 운동장을 걸었다. 그래서 건강을 되찾았다.

→ ....

4) 새가 집 뒤에 새집을 지었다. 그래서 아침마다 새 소리가 들렸다.

→ ....

3. 틀린 부분을 찾아 알맞게 고쳐 보십시오.

1) 세종학당에 다녔으면서 한국어 실력이 좋아졌다.   → ....

2) 스트레스가 많으면서 점점 우울해졌다.   → ....

3) 영화제에서 상을 받았으면서 흥행에 성공하였다.   → ....

4) 가수 시온이 좋으면서 한국어 공부를 열심히 하게 되었다. → ....

사건과 사고

1. 다음을 사건·사고와 사건·사고의 결과로 분류해 보십시오.

| 홍수 | 피해 | 가뭄 | 산사태 | 폭우 |

| 실종 | 부상 | 사망 | 전염병 | 폭발 |

사건·사고	사건·사고의 결과

2. 다음에서 알맞은 말을 골라 글을 완성하십시오.

| 다치다 | 실종되다 | 가뭄 | 산사태 | 사망자 |

오랜 1) ＿＿＿＿＿＿＿ 끝에 비가 내리면서 건조해진 땅은 다시 활기를 찾았습니다.

그렇지만 갑자기 내린 비로 인해서 춘천에서는 2) ＿＿＿＿＿＿＿＿＿ 발생하였습니다.

다행히 3) ＿＿＿＿＿＿＿＿＿ 없었으나 근처를 지나던 34살 이○○ 씨가 크게

4) ＿＿＿＿＿＿＿ 근처 병원에서 치료를 받고 있습니다. 구조대는 사고 현장에 남아서

5) ＿＿＿＿＿＿＿ 사람은 없는지 확인하고 있습니다. 사람들이 기다리던 비가 안타까운

피해를 가져온 사고입니다.

1. 다음을 잘 듣고 남자가 어떻게 사고가 났는지 써 보십시오. 🔊 01

_____

_____

_____

2. 다시 한번 들으면서 빈칸에 알맞은 말을 써 보십시오. 🔊 02

마리 : 진 씨, 괜찮아요? 1) _____.

진 : 네. 자전거를 타고 가다가 사고가 났어요. 2) _____

_____.

마리 : 많이 다치지는 않았어요?

진 : 다행히 크게 다치지는 않았어요. 하지만 3) _____

_____.

마리 : 그렇군요. 4) _____.

그러니까 무리하지 말고 쉬세요.

진 : 그럴게요. 5) _____. 고마워요.

3. 대화를 듣고 따라 해 보십시오. 🔊 03

1) 위의 대화를 보면서 듣고 따라 해 보십시오.

2) 위의 대화를 보지 않고 들으면서 따라 해 보십시오.

4. 발음과 억양에 유의해서 다음 문장을 듣고 따라 해 보십시오. 🔊 04

사람이 / 갑자기 도로로 나와서 / 피하다가 / 자동차와 부딪쳤어요.

1. 다음 글을 읽고 질문에 답하십시오.

최근 세계 곳곳에서 지진으로 인해 큰 피해가 발생하고 있다. 지진이 나면 건물이 흔들리면서 무너지고, 사람들이 다칠 수도 있다. 따라서 지진이 발생했을 때 어떻게 해야 하는지 잘 알고 있어야 한다. 먼저 지진이 나서 건물이 흔들리면 책상 아래로 들어가야 한다. 건물 밖으로 대피를 할 때에는 엘리베이터 대신에 계단을 이용해야 한다. 지진으로 인해 전기가 중단되면 엘리베이터가 멈출 수 있기 때문이다. 그리고 대피를 할 때에는 공원이나 운동장처럼 넓은 장소로 가야 한다. 이때 위에서 떨어지는 물건 때문에 다치지 않기 위해 가방이나 손으로 머리를 보호하면서 걷는 것이 중요하다. 지진은 언제, 어디서든지 발생할 수 있기 때문에 지진이 났을 때 피해를 입지 않도록 대피 방법을 잘 아는 것이 중요하다.

1) 윗글의 제목으로 가장 어울리는 것을 고르십시오.

① 지진 피해 국가
② 지진 발생 후 연락 방법
③ 지진이 났을 때 대피 방법
④ 지진 발생이 늘어나는 원인

2) 윗글의 내용과 같은 것을 고르십시오.

① 지진으로 인한 피해가 줄어들고 있다.
② 건물이 흔들리면 책상 아래가 안전하다.
③ 지진이 나면 엘리베이터를 타고 빨리 대피해야 한다.
④ 건물 밖은 안전하기 때문에 머리를 보호할 필요가 없다.

2. 중요한 내용에 표시하면서 다시 한번 읽어 보십시오.

1. 앞에서 읽은 글의 내용을 떠올려 보십시오. 읽은 내용을 간단히 정리해 보십시오.

2. 다음의 핵심어를 참고하여 빈칸에 알맞은 문장을 써서 글을 완성해 보십시오.

최근 세계 곳곳에서 1) _____

_____. (지진, 크다, 피해, 발생하다) 지진이 나면 2) _____

_____, (건물, 흔들리다, 무너지다) 사람들이 다칠 수도 있다. 따라서 지진이 발생했을 때

어떻게 해야 하는지 잘 알고 있어야 한다. 먼저 지진이 나서 건물이 흔들리면 책상 아래로 들어가야

한다. 건물 밖으로 대피를 할 때에는 엘리베이터 대신에 계단을 이용해야 한다. 지진으로 인해

3) _____

_____. (전기, 중단되다, 엘리베이터, 멈추다) 그리고 대피를 할 때에는 공원이나 운동장처럼

넓은 장소로 가야 한다. 이때 위에서 떨어지는 물건 때문에 다치지 않기 위해 가방이나 손으로

4) _____

_____. (머리, 보호하다, 걷다, 중요하다) 지진은 언제, 어디서든지 발생할 수 있기 때문에 지진이

났을 때 5) _____

_____. (피해, 입다, 대피 방법, 잘 알다)

1. 다음과 같이 문장을 바꿔 보십시오.

휴대폰으로 뭘 자주 하냐고요? 채팅을 자주 해요.
→ 휴대폰으로 뭘 자주 하냐면 채팅을 자주 해요.

1) 한국 여행 정보를 어디서 찾냐고요? 주로 한국관광공사 홈페이지에서 찾아요.

→ .

2) 한국어를 공부할 때 어느 부분이 어렵냐고요? 발음이 어려워요.

→ .

3) 등산할 때 뭐가 필요하냐고요? 우선 등산화가 꼭 필요해요.

→ .

4) 저번에 장학금을 받은 사람이 누구였냐고요? 안나 씨였어요.

→ .

5) 부모님이 무엇을 좋아하시냐고요? 늦은 오후에 커피 마시는 것을 좋아하세요.

→ .

2. '-냐면'를 사용해서 문장을 만들어 보십시오.

1) 어떻게, 파일 첨부를 하다, 보낼 파일, 메일에 업로드하면 되다

→ .

2) 어떻게, 댓글을 달다, 로그인을 하다, 여기에 글을 쓰면 되다

→ .

3) 왜, 제주도가 좋다, 이국적이고 자연환경이 아름다워서 좋다

→ .

4) 수업 후, 어느 식당에 갈 것이다, 세종식당에 갈 것이다

→ .

–기가 쉽다, 어렵다, 힘들다, 편하다

1. 다음과 같이 '–기가 쉽다, 어렵다, 힘들다, 편하다'를 사용해서 문장을 만들어 보십시오.

> 누리 세종학당은 번역이 되어 있다, 아이디를 만들다
> → 누리 세종학당은 번역이 되어 있어서 아이디를 만들기가 쉽다.

1) 인터넷 속도가 느리다, 동영상을 내려받다

   → ....

2) 한국어 온라인 과정이 있다, 한국어 수업을 듣다

   → ....

3) 수학 문제가 너무 어렵다, 문제를 풀다

   → ....

4) 지도 앱이 있다, 처음 가는 식당을 찾다

   → ....

5) 컴퓨터를 잘 못하다, 회사에서 일하다

   → ....

2. '–기가 쉽다, 어렵다, 힘들다, 편하다'를 사용해서 문장을 완성해 보십시오.

1) 이 가게는 물건을 .... 자주 이용해요. (고르다)

2) 조심해서 운전하지 않으면 .... (사고 나다)

3) 이 책은 .... 아직도 다 읽지 못했어요. (이해하다)

4) 오늘은 날씨가 흐려서 밤하늘의 별을 .... (보다)

인터넷

1. 다음에서 알맞은 말을 골라 쓰십시오.

| 파일을 첨부하다 | 다운 받다 | 사이트에 가입하다 | 복사하다 | 붙여 넣다 |

1) [   ] : 글이나 그림, 사진 등을 똑같이 만들다.

2) [   ] : 인터넷에 있는 자료나 파일을 내 컴퓨터로 옮기다.

3) [   ] : 편지나 서류를 보낼 때 필요한 파일도 함께 보내다.

4) [   ] : 사이트에 있는 정보를 이용하기 위해 아이디와 비밀번호를 만들다.

5) [   ] : 똑같이 만든 글이나 그림, 사진 등을 다른 곳에 옮기다.

2. 다음에서 알맞은 말을 골라 글을 완성하십시오.

| 검색하다 | 댓글을 달다 | 깔다 | 아이디를 만들다 | 업로드하다 |

　　에스엔에스(SNS)는 인터넷에서 사람들과 소통하는 공간이다. 에스엔에스(SNS) 앱을 휴대폰에 1) _____ 후에 2) _____ 글이나 사진을 올릴 수 있는 공간이 생긴다. 거기에 찍은 사진을 3) _____ 된다. 사람들은 올라온 사진을 보고 '좋아요'를 누르거나 4) _____ 소통한다. 오랫동안 연락이 끊긴 옛 친구도 에스엔에스(SNS)에 이름을 5) _____ 찾을 수 있다. 이처럼 에스엔에스(SNS)를 활용한 소통은 현실과는 다른 매력이 있다.

1. 다음을 잘 듣고 여자가 남자에게 소개하는 것은 무엇인지 써 보십시오.

🔊 01

_____

_____

2. 다시 한번 들으면서 빈칸에 알맞은 말을 써 보십시오.

🔊 02

수지 : 해리 씨, 이사 다 했어요?

해리 : 네. 다 했어요. 짐은 모두 옮겼는데 1) _____ .

수지 : 저도 처음 이사했을 때 그랬어요. 그래서 2) _____

_____ ?

해리 : 그래요? 어떤 앱이에요?

수지 : 3) _____ . 이 앱에서

예쁜 집을 구경할 수도 있고, 사진 속에 있는 여러 가지 물건을 싸게 살 수도 있어요.

해리 : 그래요? 정말 편리하네요.

수지 : 4) _____ .

물어보면 회원들이 직접 대답도 해 줘서 큰 도움이 되었어요.

해리 : 고마워요. 5) _____ .

3. 대화를 듣고 따라 해 보십시오.

🔊 03

1) 위의 대화를 보면서 듣고 따라 해 보십시오.

2) 위의 대화를 보지 않고 들으면서 따라 해 보십시오.

4. 발음과 억양에 유의해서 다음 문장을 듣고 따라 해 보십시오.

🔊 04

짐은 모두 옮겼는데 / 집을 꾸미기가 / 너무 어려워요.

1. 다음 글을 읽고 질문에 답하십시오.

> 　최근 휴대폰으로 사진을 찍는 사람들이 늘어나면서 사진 꾸미기 앱을 다운 받는 사람들이 많아지고 있다. 이번 달에 발표된 사진 꾸미기 앱에 대한 조사에서 '예쁨 플러스' 앱이 1위를 차지했다. 이 앱은 얼굴 색깔을 조절할 수 있고, 스티커를 붙이거나, 글씨를 쓸 수도 있어서 사진을 꾸미기가 쉽다는 장점이 있다. 그리고 앱에서 찍은 사진을 친구에게 보내거나 에스엔에스(SNS)에 쉽게 올릴 수 있어서 인기가 많다. 2위는 '마술사진' 앱이다. 이 앱은 얼굴을 마술처럼 바꿀 수 있는 앱이다. 사람의 얼굴을 고양이나 토끼 얼굴로 바꾸기도 하고, 사진을 만화처럼 바꿀 수도 있다. 또한 두 사람의 눈, 코, 입을 바꿔서 재미있는 사진을 만들 수 있어서 인기가 많다. 마지막으로 3위는 '최강사진' 앱이다. 이 앱은 여러 장의 사진을 한 장으로 합치거나 동영상을 만들기 쉽다는 장점이 있다. 그러나 배경을 바꾸기가 어렵고, 앱을 설치하기 위해서 돈을 내야 한다는 단점이 있다.

1) 윗글의 제목으로 가장 어울리는 것을 고르십시오.

　① 인기 있는 에스엔에스(SNS) 순위
　② 동영상을 만들 때 유용한 사진 앱 소개
　③ 인기 있는 사진 꾸미기 앱과 특징 소개
　④ 휴대폰 사진 꾸미기와 에스엔에스(SNS)의 관계

2) 윗글의 내용과 같은 것을 고르십시오.

　① '최강사진' 앱을 다운 받는 것은 무료이다.
　② '마술사진' 앱으로 동물 사진을 자주 찍는다.
　③ '예쁨 플러스' 앱은 사진에 글씨를 쓸 수 있다.
　④ 에스엔에스(SNS) 사용이 많아지면서 사진 꾸미기 앱 사용이 줄어들었다.

2. 중요한 내용에 표시하면서 다시 한번 읽어 보십시오.

1. 앞에서 읽은 글의 내용을 떠올려 보십시오. 읽은 내용을 간단히 정리해 보십시오.

2. 다음의 핵심어를 참고하여 빈칸에 알맞은 문장을 써서 글을 완성해 보십시오.

　　최근 휴대폰으로 사진을 찍는 사람들이 늘어나면서 1)

. (사진 꾸미기 앱, 다운 받다, 사람, 많아지다) **이번 달에**

발표된 사진 꾸미기 앱에 대한 조사에서 '예쁨 플러스' 앱이 1위를 차지했다. 이 앱은 얼굴 색깔을

조절할 수 있고, 스티커를 붙이거나, 글씨를 쓸 수도 있어서 2)

. (사진, 꾸미다, 쉽다, 장점이 있다) **그리고 앱에서 찍은**

사진을 친구에게 보내거나 3)

. (에스엔에스(SNS), 쉽다, 올리다, 인기가 많다) **2위는 '마술사진' 앱이다.**

이 앱은 얼굴을 마술처럼 바꿀 수 있는 앱이다. 사람의 얼굴을 고양이나 토끼 얼굴로 바꾸기도 하고,

사진을 만화처럼 바꿀 수도 있다. 또한 두 사람의 눈, 코, 입을 바꿔서 재미있는 사진을 만들 수

있어서 인기가 많다. 마지막으로 3위는 '최강사진' 앱이다. 이 앱은 4)

(여러 장, 사진, 한 장, 합치다) **동영상을 만들기 쉽다는**

장점이 있다. 그러나 5)   , (배경, 바꾸다, 어렵다)

앱을 설치하기 위해서 돈을 내야 한다는 단점이 있다.

1. 다음과 같이 빈칸을 채워 보십시오.

		-(으)ㄹ 뿐만 아니라
1)	방송 시간이 짧다	방송 시간이 짧을 뿐만 아니라
2)	성장 가능성이 크다	
3)	평소에 책을 많이 읽다	
4)	한국 노래를 자주 듣다	
5)	회의실이 좁다	
6)	음식을 잘 만들다	
7)	성격이 밝고 긍정적이다	

2. 다음과 같이 문장을 바꿔 보십시오.

 바나나에는 칼륨이 풍부하고 다양한 비타민이 들어 있다.
→ 바나나에는 칼륨이 풍부할 뿐만 아니라 다양한 비타민이 들어 있다.

1) 두부는 맛있고 건강에도 좋다. → _____ .

2) 이 옷은 디자인이 예쁘고 가격도 싸다. → _____ .

3) 날씨가 춥고 바람도 심하게 분다. → _____ .

4) 새로 구한 아르바이트는 일이 힘들고 시급도 낮다. → _____ .

3. '-(으)ㄹ 뿐만 아니라'를 사용해서 문장을 만들어 보십시오.

1) 견과류, 심장 건강에 좋다, 두뇌 발달에 효과적이다

→ _____ .

2) 양배추, 소화를 도와주다, 피부 건강에 좋다

→ _____ .

3) 이진호 선수, 재능이 많다, 꾸준히 노력하는 선수이다

→ _____ .

4) 서울, 한국의 수도이다, 세계적인 관광 도시이다

→ _____ .

-게 하다

1. 다음과 같이 문장을 바꿔 보십시오.

학생들이 일찍 왔어요.
→ 선생님이 학생들을 일찍 오게 했어요.

1) 동생이 앞자리에 앉았어요.

→ 형이 ....

2) 아르바이트생이 잠깐 쉬었어요.

→ 사장님이 ....

3) 친구가 한참 동안 기다렸어요.

→ 제가 ....

4) 유나가 창문을 열었어요.

→ 제가 ....

5) 민호가 영상을 찍다.

→ 제가 ....

2. '-게 하다'나 '-게 되다' 중 알맞은 것을 사용해서 문장을 만들어 보십시오.

| 차를 마시다 | | 저는 긴장한 친구를 보고 차를 마시게 했어요. |

| 잠을 푹 자다 | | 운동을 하니까 잠을 푹 자게 되었어요. |

1) 사진을 못 보다 → 저는 부끄러워서 아무도 ....

2) 한국어 발음을 잘하다 → 유진은 꾸준히 연습한 덕분에 ....

3) 추억을 떠올리다 → 이 노래는 어릴 때 ....

4) 자주 못 만나다 → 친구가 유학을 가서 ....

1. 다음에서 알맞은 말을 골라 쓰십시오.

| 소화가 잘되다 | 시력을 보호하다 | 체력을 보충하다 | 면역력을 높이다 | 기억력을 향상시키다 |

1) [　　　　　　] : 몸에 힘을 채우다.

2) [　　　　　　] : 잘 볼 수 있게 눈을 지키다.

3) [　　　　　　] : 먹은 음식을 몸에서 잘 받아들이다.

4) [　　　　　　] : 몸 밖에서 들어온 병균과 싸우는 힘을 키우다.

5) [　　　　　　] : 이전에 경험한 것이나 본 것을 다시 생각나게 하는 힘을 높아지게 하다.

---

2. 다음에서 알맞은 말을 골라 글을 완성하십시오.

| 시력 보호 | 피로 회복 | 풍부하다 | 암을 예방하다 | 면역력을 높이다 |

　　단맛으로 남녀노소 모두에게 사랑받는 고구마는 몸에도 좋은 대표적인 건강식품이다. 비타민 C가 많아 피곤할 때 먹으면 1) ＿＿＿＿＿＿＿＿＿＿＿＿＿ 에 도움이 될 뿐만 아니라 눈에 좋은 '베타카로틴'이 2) ＿＿＿＿＿＿＿＿＿＿ 들어 있어 3) ＿＿＿＿＿＿＿＿＿ 에도 효과적이다. 또한 고구마 껍질에 들어 있는 '안토시아닌' 성분은 4) ＿＿＿＿＿＿＿＿＿ 효과가 있어 5) ＿＿＿＿＿＿＿＿＿ 수 있게 해 준다.

① 다음을 잘 듣고 남자가 건강을 위해 특별히 신경 쓰는 것은 무엇인지 써 보십시오. 🔊 01

....

....

② 다시 한번 들으면서 빈칸에 알맞은 말을 써 보십시오. 🔊 02

재민 : 마리 씨, 혹시 뭐 안 좋은 일 있어요? 오늘 계속 힘이 없어 보여서요.

마리 : 아, 좀 피곤해서 그래요. 요즘 날씨가 너무 더워서 밤에 잠도 잘 못 자고 1) ....

....

재민 : 맞아요. 저도 그래요. 근데 이럴 때 2) ....

....

마리 : 그렇지요. 근데 아무것도 하기 싫어서 쉬는 날에도 그냥 누워만 있어요.

재민 : 먹는 건 잘 먹고 있어요? 3) ....

마리 : 그래요? 특별히 신경 쓰는 게 있어요?

재민 : 전보다 과일을 자주 먹고 있어요. 4) ....

.... 땀을 많이 흘리니까 수분이 풍부한 수박을 먹어도 좋고,

비타민이 풍부한 포도도 좋아요. 포도는 5) ....

....

마리 : 그러고 보니까 맨날 과자나 아이스크림만 먹고 과일은 잘 안 먹은 거 같아요. 집에 가면서
과일 좀 사 가야겠어요. 고마워요, 재민 씨.

③ 대화를 듣고 따라 해 보십시오. 🔊 03

1) 대화를 보면서 듣고 따라 해 보십시오.

2) 대화를 보지 않고 들으면서 따라 해 보십시오.

④ 발음과 억양에 유의해서 다음 문장을 듣고 따라 해 보십시오. 🔊 04

포도는 / 피로 회복에 좋을 뿐만 아니라 / 면역력을 높여 주는 효과도 있어요.

1. 다음 글을 읽고 질문에 답하십시오.

> 한국을 대표하는 음식 '김치'. 김치의 주재료로 사용되는 '배추'는 다양한 효과를 가진 건강식품이다. 먼저 배추는 우리 몸속의 가스를 없애 소화가 잘되게 돕고 비타민 C가 풍부해 감기 예방에도 효과적이다. 배추 뿌리와 생강으로 차를 만들어 마시면 감기에 걸리지 않고 건강한 겨울을 보낼 수 있다. 면역력을 향상시키는 효과가 커 암을 예방하는 음식으로도 잘 알려져 있는 배추는 칼슘이 풍부해 뼈를 튼튼하게 할 뿐만 아니라 비타민 A가 많아 눈의 피로를 풀어 주고 시력을 보호하는 효과도 있다.
>
> 배추를 고를 때는 무겁고 단단한 것, 겉잎이 진한 초록색이고 두껍지 않은 것을 고르는 것이 좋다. 배추는 김치 외에도 다양한 요리의 재료로 사용할 수 있는데 국을 끓일 때는 뿌리 부분을 넣는 것이 좋다. 뿌리에 영양분이 풍부해 건강에도 좋고 단맛도 더욱 높여 준다. 또 배추는 두부와 함께 요리해서 먹으면 부족한 단백질을 보충할 수 있어 건강에 더욱 좋다.

1) 윗글의 제목으로 가장 어울리는 것을 고르십시오.

① 몸에 좋은 채소 '배추'
② 건강한 '김치'를 만드는 방법
③ 날마다 높아지는 '김치'의 인기
④ '배추'로 만들 수 있는 건강 요리

2) 윗글의 내용과 같은 것을 고르십시오.

① 배추는 뿌리에 영양분이 적다.
② 배추는 생강과 어울리지 않는다.
③ 배추는 두부와 함께 먹으면 좋다.
④ 배추는 겉잎이 얇은 것을 사면 좋지 않다.

2. 중요한 내용에 표시하면서 다시 한번 읽어 보십시오.

1. 앞에서 읽은 글의 내용을 떠올려 보십시오. 읽은 내용을 간단히 정리해 보십시오.

2. 다음의 핵심어를 참고하여 빈칸에 알맞은 문장을 써서 글을 완성해 보십시오.

　　한국을 대표하는 음식 '김치'. 김치의 주재료로 사용되는 '배추'는 다양한 효과를 가진 건강 식품이다. 먼저 배추는 우리 몸속의 가스를 없애 1)

. (소화, 비타민 C, 감기 예방)

배추 뿌리와 생강으로 차를 만들어 마시면 감기에 걸리지 않고 건강한 겨울을 보낼 수 있다. 면역력을 향상시키는 효과가 커 암을 예방하는 음식으로도 잘 알려져 있는 배추는 2)

(칼슘, 뼈) **비타민 A가 많아**

3)

. (눈의 피로, 시력)

　　배추를 고를 때는 무겁고 단단한 것, 겉잎이 진한 초록색이고 두껍지 않은 것을 고르는 것이 좋다. 배추는 김치 외에도 다양한 요리의 재료로 사용할 수 있는데 4)

. (국을 끓이다, 뿌리, 넣다) **뿌리에도 영양분이 풍부해**

건강에도 좋고 단맛도 더욱 높여 준다. 또 배추는 5)

(두부, 단백질, 보충하다) **건강에 더욱 좋다.**

1. 다음과 같이 빈칸을 채워 보십시오.

		-(으)ㄹ 뻔하다
1)	기념일을 잊어버리다	기념일을 잊어버릴 뻔했어요.
2)	점심을 못 먹다	
3)	좋아하는 일을 포기하다	
4)	잘 몰라서 실수하다	
5)	넘어져서 울다	
6)	다리가 아파서 못 걷다	
7)	집을 못 짓다	

2. 다음과 같이 문장을 바꿔 보십시오.

 지하철에 사람이 너무 많아서 겨우 내렸어요. 조금만 늦었으면 못 내렸을 거예요.
→ 지하철에 사람이 너무 많아서 못 내릴 뻔했어요.

1) 식당에 늦게 가서 점심을 겨우 먹었어요. 조금만 늦었으면 못 먹었을 거예요.

→ _____.

2) 회의가 늦게 끝나서 중요한 전화를 겨우 받았어요. 조금만 늦었으면 못 받았을 거예요.

→ _____.

3) 자전거를 너무 빨리 탔어요. 조금 더 빨리 탔으면 사람하고 부딪쳤을 거예요.

→ _____.

4) 신청을 늦게 해서 기숙사에 겨우 들어갔어요. 조금만 늦었으면 기숙사에서 못 살았을 거예요.

→ _____.

3. <u>틀린</u> 부분을 찾아 알맞게 고쳐 보십시오.

1) 시험이 어려워서 문제를 다 못 풀었을 뻔했어요.   → _____.

2) 주변이 시끄러워서 안내 방송을 못 들을 뻔해요.   → _____.

3) 마지막에 상대 팀이 실수하지 않으면 우리 팀이 질 뻔해요. → _____.

4) 친구를 너무 오랜만에 만나서 못 알아봤을 뻔했어요. → _____.

아무 명사 (이)나

1. 다음과 같이 빈칸을 채워 보십시오.

		아무 (이)나
1)	계획	아무 계획이나
2)	소식	
3)	영화	
4)	것	
5)	때	
6)	곳/데	
7)	사람	

2. 다음과 같이 문장을 바꿔 보십시오.

 한국의 지하철에는 노약자석이 있어서 모든 자리에 다 앉으면 안 돼요.
→ 한국의 지하철에는 노약자석이 있어서 아무 데나 앉으면 안 돼요.

1) 시상식에서 모든 말을 다 했다가는 후회할 거예요.

→ _____.

2) 이번 행사에는 모든 사람이 다 참여할 수 있어요.

→ _____.

3) 식사 시간이 정해져 있어서 모든 시간에 다 먹을 수는 없어요.

→ _____.

4) 제가 보기에는 다 비슷하니까 모든 것이 다 괜찮아요.

→ _____.

3. '아무 명사 (이)나'를 사용해서 문장을 만들어 보십시오.

1) 오늘은 시간이 많다, 때, 전화하다 → _____.

2) 지금 급하다, 볼펜, 좀 빌려주다 → _____.

3) 배가 고프다, 가게, 들어가다 → _____.

4) 일, 하지 말다, 좋아하는 일, 하다 → _____.

1. 다음을 좋은 경험을 했을 때의 감정과 나쁜 경험을 했을 때의 감정으로 분류해 보십시오.

창피하다　　　얼굴을 들 수가 없다　　　자랑스럽다　　　보람을 느끼다　　　당황스럽다

좋은 경험	나쁜 경험

2. 다음에서 알맞은 말을 골라 글을 완성하십시오.

창피하다　　　얼굴이 빨개지다　　　얼굴을 들 수가 없다　　　깜짝 놀라다

　　2년 전 어느 날이었다. 지하철역으로 뛰어 내려가다가 계단에서 넘어질 뻔한 나는 다행히 옆에 있는 '무언가'를 잡고 안 넘어질 수 있었다. 그런데 그 '무언가'가 사람 머리라는 걸 알고 나는 1)　　　　　　　 소리를 지를 뻔했다. 나는 너무 2)　　　　　　　 3)　　　　　　　. 거울을 보지 않아도 4)　　　　　　　 것이 느껴졌다. 그런데 내가 머리를 잡은 그 사람은 화내지 않고 나한테 괜찮냐고 물었다. 그때 그 사람이 바로 지금의 남편이다.

1. 다음을 잘 듣고 남자가 표지판을 보지 <u>못한</u> 이유를 써 보십시오.

....

....

2. 다시 한번 들으면서 빈칸에 알맞은 말을 써 보십시오.

> 마리 : 주노 씨, 다리가 왜 그래요? 다쳤어요?
>
> 주노 : 네. 어제 산책하다가 공사하는 곳에 세워 둔 1) _____.
>
> 마리 : 2) _____. 공사 중이라는 표지판이 없었나 봐요.
>
> 주노 : 아니에요. 표지판이 있었는데 제가 3) _____
>
> _____.
>
> 마리 : 길에서 휴대폰 보는 거 정말 위험하더라고요. 저도 며칠 전에 휴대폰 보면서 걷다가
>
> 4) _____.
>
> 다행히 부딪치지는 않았지만 깜짝 놀랐어요. 아이도 놀란 것 같더라고요.
>
> 주노 : 저도 어제 반성 많이 했어요. 5) _____
>
> _____. 앞으로 길을 걸을 때는 주변을 잘 살피면서 걸으려고 해요.
>
> 마리 : 그나저나 병원에는 갔다 왔어요? 의사 선생님이 뭐라고 하셨어요?
>
> 주노 : 많이 다친 건 아니라서 삼사일 지나면 괜찮을 거래요.
>
> 마리 : 그래도 다행이네요.

3. 대화를 듣고 따라 해 보십시오.

1) 위의 대화를 보면서 듣고 따라 해 보십시오.

2) 위의 대화를 보지 않고 들으면서 따라 해 보십시오.

4. 발음과 억양에 유의해서 다음 문장을 듣고 따라 해 보십시오.

> 휴대폰 보면서 걷다가 / 자전거 타는 아이와 / 부딪칠 뻔했어요.

1. 다음 글을 읽고 질문에 답하십시오.

> 중학교 3학년 때 마라톤 대회에 참가한 적이 있다. 그때 나는 몸도 약하고 키도 친구들보다 작은 편이었다. 그래서 키도 빨리 크고 몸도 튼튼해지고 싶어서 달리기 운동을 시작했다. 처음에는 5분만 달려도 다리가 떨리고 숨쉬기가 힘들었다. 그러면 아무 데나 주저앉아서 한참 동안 쉬었다. 한번은 밥을 먹은 후에 바로 달리기 연습을 하다가 토할 뻔한 적도 있었다. 내가 운동하는 것을 본 아버지께서 마라톤 대회에 나가 보라고 말씀하셨다. 나는 아버지 말씀대로 마라톤 대회에 참가 신청을 했고, 그때부터 더 열심히 달리기 연습을 했다.
>
> 드디어 마라톤 대회 날이 되었다. 나는 긴장된 마음으로 다른 참가자들과 함께 맨 앞에서 달리기 시작했다. 하지만 시간이 지나면서 점점 뒤쪽으로 밀려서 중간 정도부터는 맨 끝에서 달리게 되었다. 그리고 마지막에는 다리에 힘이 풀려서 넘어질 뻔했다. 그래도 나는 한 번도 쉬지 않고 끝까지 달렸다. 비록 좋은 성적을 거두지는 못했지만 마지막까지 포기하지 않은 나 자신이 자랑스럽게 느껴졌다.

1) 윗글의 제목으로 가장 어울리는 것을 고르십시오.

① 중학교 3학년 학생의 키 크기 작전
② 아버지와 함께 달린 마라톤 대회의 추억
③ 키가 크고 몸이 튼튼해지는 달리기 운동
④ 중학교 시절 마라톤 대회에 참가한 경험

2) 윗글의 내용과 같은 것을 고르십시오.

① 나는 남들보다 달리기를 잘하는 편이었다.
② 나는 마라톤 대회에서 좋은 성적을 거두었다.
③ 나는 마라톤 대회 중간에 주저앉아서 한참 동안 쉬었다.
④ 내가 마라톤 대회에 나간 것은 아버지의 권유 때문이다.

2. 중요한 내용에 표시하면서 다시 한번 읽어 보십시오.

1. 앞에서 읽은 글의 내용을 떠올려 보십시오. 읽은 내용을 간단히 정리해 보십시오.

2. 다음의 핵심어를 참고하여 빈칸에 알맞은 문장을 써서 글을 완성해 보십시오.

중학교 3학년 때 마라톤 대회에 참가한 적이 있다. 그때 나는 몸도 약하고 키도 친구들보다 작은 편이었다. 그래서 키도 빨리 크고 몸도 튼튼해지고 싶어서 달리기 운동을 시작했다. 처음에는 5분만 달려도 다리가 떨리고 숨쉬기가 힘들었다. 그러면 1) _____

_____. (아무 데, 주저앉다, 쉬다) 한번은 밥을 먹은 후에 바로

2) _____. (달리기 연습, 토하다)

내가 운동하는 것을 본 아버지께서 마라톤 대회에 나가 보라고 말씀하셨다. 나는 아버지 말씀대로 마라톤 대회에 참가 신청을 했고, 그때부터 더 열심히 달리기 연습을 했다.

드디어 마라톤 대회 날이 되었다. 나는 긴장된 마음으로 다른 참가자들과 함께 3) _____

_____. (맨 앞, 달리다, 시작하다) 하지만 시간이 지나면서 점점

뒤쪽으로 밀려서 중간 정도부터는 맨 끝에서 달리게 되었다. 그리고 마지막에는 4) _____

_____. (다리, 힘이 풀리다, 넘어지다)

그래도 나는 한 번도 쉬지 않고 끝까지 달렸다. 비록 좋은 성적을 거두지는 못했지만 마지막까지 5) ____

_____. (포기하지 않다, 자랑스럽다)

–는/(으)ㄴ/(으)ㄹ 듯이

1. 다음과 같이 빈칸을 채워 보십시오.

		–는/(으)ㄴ/(으)ㄹ 듯이
1)	상을 받는다	상을 받는 듯이
2)	아기가 울겠다	
3)	기분이 좋다	
4)	다리가 아프다	
5)	아무 일도 없다	
6)	꽃을 보았다	
7)	물이 넘치겠다	

2. 다음과 같이 문장을 바꿔 보십시오.

그날은 벌써 가을이 된 것처럼 날씨가 선선했다.
→ 그날은 벌써 가을이 된 듯이 날씨가 선선했다.

1) 그 사람은 그런 이야기를 처음 듣는 것처럼 놀랐다.

→ _____ .

2) 아이들은 즐거운 것처럼 바닷가를 뛰어다니고 있었다.

→ _____ .

3) 갑자기 사람들이 모두 사라진 것처럼 조용해졌다.

→ _____ .

4) 하늘이 맑아서 남산이 손에 잡힐 것처럼 가깝게 보였다.

→ _____ .

3. '–는/(으)ㄴ/(으)ㄹ 듯이'를 사용해서 문장을 만들어 보십시오.

1) 그, 선생님을 잘 알다, 이야기하다 → _____ .

2) 어머니, 속이 시원하다, 소리 내서 웃다 → _____ .

3) 그 친구, 나를 못 보다, 그냥 지나가다 → _____ .

4) 오늘, 날씨, 봄이 오다, 따뜻하다 → _____ .

① 다음과 같이 빈칸을 채워 보십시오.

마을 입구에 조각상을 놓았다.
→ 마을 입구에 조각상이 놓였다.

1) 여름이라서 수박을 많이 팔았다.

→ 여름이라서 수박이 많이 _____ .

2) 강한 바람이 교실 문을 닫아 모두가 깜짝 놀랐다.

→ 강한 바람에 교실 문이 _____ 모두가 깜짝 놀랐다.

3) 경찰이 교통사고를 낸 사람을 쫓았다.

→ 교통사고를 낸 사람이 경찰에게 _____ .

4) 눈을 계속 감아서 내릴 곳을 지나칠 뻔했다.

→ 눈이 계속 _____ 내릴 곳을 지나칠 뻔했다.

② 틀린 부분을 찾아 알맞게 고쳐 보십시오.

1) 빵을 만들 때는 버터가 주로 쓴다.

→ _____ .

2) 명절에 고향에 내려가는 사람들이 많아서 길이 막는다.

→ _____ .

3) 매년 부산에서는 다양한 영화를 볼 수 있는 축제가 연다.

→ _____ .

4) 가슴이 찡해지는 목소리 때문에 시온에게 마음이 빼앗았다.

→ _____ .

1. 다음을 풍경과 풍경을 본 감상으로 분류해 보십시오.

| 사람들로 붐비다 | 산으로 둘러싸여 있다 | 푸른 들이 펼쳐져 있다 | 그림 같다 |

| 인상적이다 | 신기하다 | 잊히지 않다 | 고층 빌딩이 늘어서 있다 |

풍경	풍경을 본 감상

2. 다음에서 알맞은 말을 골라 글을 완성하십시오.

| 그림 같다 | 인상적이다 | 산으로 둘러싸여 있다 |

| 고층 빌딩이 늘어서 있다 | 좁은 골목이 이어져 있다 |

서울은 현대적인 1) _____ 대도시였다. 그렇지만

2) _____ 때문에 고층 빌딩 너머로 보이는 산들의 모습이

3) _____. 특히 광화문은 현대적인 빌딩, 경복궁, 높은 산이 만나 한 폭의

4) _____ 아름다웠다. 빌딩 사이사이에는 5) _____

_____ 퇴근 시간이 되면 골목의 가게마다 직장인들로 붐볐다.

3년 전에는 나도 그 사람들 사이에 있었다. 지금은 고향으로 돌아왔지만 가끔 서울에서의 바쁜 삶이 그립다.

① 　잘 듣고 두 사람이 보고 있는 사진이 어디에서 찍은 것인지 써 보십시오. 🔊 01

—————————————————————————————————————

—————————————————————————————————————

② 　다시 한번 들으면서 빈칸에 알맞은 말을 써 보십시오. 🔊 02

안나 : 이건 언제 찍은 사진이야? 꽤 오래된 사진 같은데?

유진 : 오래됐지. 초등학교 때 가족 여행 가서 찍은 거니까 벌써 10년도 더 지났네.

안나 : 1) _____ . 여기가 어디야?

유진 : 스위스의 작은 마을인데, 경치가 정말 아름다운 곳이었어. 이건 마을 뒤에 있는 언덕에서
　　　 찍은 사진인데, 2) _____ .

　　　 이 마을에서 잠을 잤는데 아홉 시가 되니까 3) _____

　　　 _____ .

안나 : 초등학교 때 갔던 곳인데 아직도 그렇게 자세하게 기억이 나?

유진 : 응. 4) _____ .

안나 : 되게 좋았나 보다. 그런데 사진을 보니까 그 마음이 이해가 돼. 5) _____

　　　 _____ .

③ 　대화를 듣고 따라 해 보십시오. 🔊 03

1) 위의 대화를 보면서 듣고 따라 해 보십시오.

2) 위의 대화를 보지 않고 들으면서 따라 해 보십시오.

④ 　발음과 억양에 유의해서 다음 문장을 듣고 따라 해 보십시오. 🔊 04

　　 등불이 꺼지고 / 마을 전체가 / 잠든 듯이 조용해지더라.

1. 다음 글을 읽고 질문에 답하십시오.

> 내가 어렸을 때 살았던 곳은 강원도 홍천의 시골이다. 그곳은 산으로 둘러싸여 있는 작은 마을이었다. 그곳에서 초등학교 6학년 때까지 살았다. 집에서 초등학교까지는 걸어서 20분 정도 걸렸다. 어린 내가 걸어서 가기에는 좀 먼 거리였지만 학교 가는 길은 언제나 즐거웠다. 이웃에 사는 친구, 누나, 형들과 함께 다녔기 때문이다.
>
> 학교 가는 길에는 마을 사람들이 심은 꽃들이 그림을 그린 듯이 아름답게 피어 있었다. 길옆에는 푸른 들이 펼쳐져 있었다. 들에서는 배추, 무 같은 채소들이 자라고 있었다. 그리고 반대쪽에는 울퉁불퉁한 바위들 사이로 작은 강이 흐르고 있었다. 강물은 항상 음악을 연주하는 듯이 졸졸 소리를 냈다. 학교가 끝나고 집으로 오는 길에 가끔 강에서 물고기를 잡으면서 놀았다. 물고기는 못 잡고 옷만 다 젖어서 집에 돌아왔지만 그래도 즐거웠다.
>
> 그 시절의 추억들은 나에게 너무나 소중한 기억으로 남아 있다. 지금도 나는 가끔 어린 시절 꿈을 꾼다. 꿈속에서 만나는 어린 나의 모습은 여전히 행복해 보인다.

1) 윗글의 제목으로 가장 어울리는 것을 고르십시오.

① 시골 생활에서 즐기는 여유
② 시골 초등학교 학생들의 하루
③ 꿈속에서 만난 어린 시절의 나
④ 어린 시절 학교 가는 길에서의 추억

2) 윗글의 내용과 같은 것을 고르십시오.

① 학교 가는 길 옆에는 채소밭이 있었다.
② 나는 초등학교 6학년 때 시골로 이사를 왔다.
③ 나는 가끔 물고기를 잡아서 집으로 돌아왔다.
④ 나는 아침마다 혼자 20분 동안 걸어서 학교에 갔다.

2. 중요한 내용에 표시하면서 다시 한번 읽어 보십시오.

1. 앞에서 읽은 글의 내용을 떠올려 보십시오. 읽은 내용을 간단히 정리해 보십시오.

2. 다음의 핵심어를 참고하여 빈칸에 알맞은 문장을 써서 글을 완성해 보십시오.

　　내가 어렸을 때 살았던 곳은 강원도 홍천의 시골이다. 그곳은 1) _____

_____. (산, 둘러싸다, 작은 마을) 그곳에서 초등학교 6학년 때까지 살았다.

집에서 초등학교까지는 걸어서 20분 정도 걸렸다. 어린 내가 걸어서 가기에는 좀 먼 거리였지만

학교 가는 길은 언제나 즐거웠다. 이웃에 사는 친구, 누나, 형들과 함께 다녔기 때문이다.

　　학교 가는 길에는 마을 사람들이 심은 2) _____

_____. (꽃, 그림을 그리다, 피다)

3) _____. (길옆, 푸른 들, 펼쳐지다)

들에서는 배추, 무 같은 채소들이 자라고 있었다. 그리고 반대쪽에는 울퉁불퉁한 바위들 사이로

작은 강이 흐르고 있었다. 4) _____

_____. (강물, 음악을 연주하다, 소리를 내다)

학교가 끝나고 집으로 오는 길에 가끔 강에서 물고기를 잡으면서 놀았다. 물고기는 못 잡고 옷만

다 젖어서 집에 돌아왔지만 그래도 즐거웠다.

　　그 시절의 5) _____

_____. (추억, 소중한 기억, 남다) 지금도 나는 가끔 어린 시절 꿈을 꾼다. 꿈속에서 만나는 어린

나의 모습은 여전히 행복해 보인다.

1. 다음과 같이 문장을 바꿔 보십시오.

이 프로그램 너무 재미있는 것 같아요.
→ 이 프로그램 너무 재미있는 것 같지 않아요?

1) 여기 경치가 정말 아름다워요.

→ _____ ?

2) 그곳은 언제나 활기가 넘쳐요.

→ _____ ?

3) 오늘 안나가 많이 피곤한 것 같아.

→ _____ ?

4) 어제 읽은 책 정말 감동적이에요.

→ _____ ?

5) 이 영화는 정말 작품상을 수상할 만해요.

→ _____ ?

2. '-지 않아요?'를 사용해서 문장을 만들어 보십시오.

1) 프랑스 파리, 야경, 정말 낭만적이다

→ _____ ?

2) 지하철역, 가깝다, 출퇴근하다, 편하다

→ _____ ?

3) 요즘, 날씨, 봄이 아니다, 겨울인 것 같다

→ _____ ?

4) 시계 소리, 너무 크다, 집중이 안 되다

→ _____ ?

얼마나 -는다고요 / ㄴ다고요 / 다고요

1. 다음과 같이 빈칸을 채워 보십시오.

		얼마나 -는다고요/ㄴ다고요/다고요
1)	좋은 정보가 많다	얼마나 좋은 정보가 많다고요.
2)	음식을 빨리 만들다	
3)	많은 사람들이 좋아하다	
4)	분위기가 이국적이다	
5)	선물을 많이 받았다	
6)	스스로가 자랑스러웠다	
7)	큰 힘이 되었다	

2. 다음과 같이 문장을 바꿔 보십시오.

> 안나가 정말 학교에 일찍 와요.
> → 안나가 얼마나 학교에 일찍 온다고요.

1) 그 방송에 출연하는 가수들이 정말 노래를 잘해요. → ....

2) 비빔밥이 정말 만들기가 쉬워요. → ....

3) 그 책을 통해서 정말 위로를 많이 받았어요. → ....

4) 요즘 다이어트를 하려고 정말 많이 걸어요. → ....

3. '얼마나 -는다고요 / ㄴ다고요/다고요'를 사용해서 문장을 만들어 보십시오.

1) 마리 씨, 한국 노래, 자주 듣다 → ....

2) 해리 씨, 케이크, 잘 만들다 → ....

3) 집, 학교, 가깝다 → ....

4) 그 드라마, 마지막 장면, 멋있다 → ....

감상과 평가

1. 다음에서 알맞은 말을 골라 쓰십시오.

| 신선하다 | 식상하다 | 교훈을 주다 | 공감이 가다 | 상식을 쌓다 |

1) [　　　　　] : 인생에 도움이 되는 가르침을 주다.

2) [　　　　　] : 비슷한 것이 여러 번 계속 되어서 마음에 들지 않다.

3) [　　　　　] : 새로워서 호기심이 가고 흥미롭다.

4) [　　　　　] : 다른 사람의 마음이나 생각을 똑같이 느끼다.

5) [　　　　　] : 사람들이 일반적으로 알아야 할 지식을 배우다.

2. 다음에서 알맞은 말을 골라 글을 완성하십시오.

| 자극적이다 | 위로를 주다 | 사회를 반영하다 |

| 영향력이 매우 크다 | 좋은 정보를 알려 주다 |

　방송은 사람들에게 미치는 1) _____. 힘든 일상으로 지친 사람들에게 따뜻한

2) _____ 하고 생활에 도움이 되는 3) _____

한다. 뿐만 아니라 우리가 살고 있는 4) _____ 더 많은 사람들이 사회 문제에

관심을 가지고 생각해 보게 한다. 이처럼 방송의 힘은 매우 크기 때문에 방송을 만드는 사람들은 책임감을

가지고 방송을 만들어야 한다. 폭력적이고 5) _____ 내용으로 사람들의 시선만

끌기보다는 마음을 움직일 수 있는 방송을 만들기 위해 노력해야 할 것이다.

1. 다음을 잘 듣고 두 사람이 어떤 방송에 대해 이야기하고 있는지 써 보십시오. 🔊 01

....

....

2. 다시 한번 들으면서 빈칸에 알맞은 말을 써 보십시오. 🔊 02

진우: 민호야, 이거 봤어? 〈우리동네 맛집〉 전주 편.

민호: 응. 봤어. 전주에 맛있는 게 정말 많더라고. 1) ....

.... ?

진우: 응. 방송에 나온 곳에 다 가 보고 싶어. 〈우리동네 맛집〉에 나오는 식당들은 2) ....

....

민호: 맞아. 다른 방송에 나오는 맛집들하고 좀 달라. 그리고 음식만 소개하는 게 아니라 그 식당을

찾아오는 손님들의 이야기를 듣는 것도 재미있고.

진우: 3) .... 그 식당의 음식과 주변 경치,

그곳을 찾는 사람들을 보고 있으면 마음이 따뜻해져.

민호: 4) .... ?

이야기하다 보니까 더 가 보고 싶어졌어.

진우: 좋아. 민호야, 많이 먹을 수 있지?

민호: 먹는 건 걱정하지 마. 5) .... 우리 다음 연휴 때 가 보자.

3. 대화를 듣고 따라 해 보십시오. 🔊 03

1) 위의 대화를 보면서 듣고 따라 해 보십시오.

2) 위의 대화를 보지 않고 들으면서 따라 해 보십시오.

4. 발음과 억양에 유의해서 다음 문장을 듣고 따라 해 보십시오. 🔊 04

처음 보는 음식도 있던데, / 다 맛있을 것 같지 않아?

1. 다음 글을 읽고 질문에 답하십시오.

〈문제다, 문제!!〉
목요일 저녁 8시 | 예능 | 12세 이상

소개

음악, 스포츠, 미술, 경제, 과학 등 다양한 분야의 문제를 풀면서 ㉠ _____ 수 있는 교양 예능 프로그램. 매주 열 명의 스타가 출연해 1등 상금을 놓고 뜨거운 퀴즈 대결을 펼친다. 과연 상금을 가져갈 한 사람은 누구일까?! 힌트를 얻기 위한 재미있는 게임과 출연자들의 특별 공연까지 준비되어 있는 〈문제다, 문제!!〉. 매주 목요일 저녁, 시청자들에게 건강한 웃음을 전달한다.

시청자 참여

NO	제목	작성자	조회수
681	좋은 정보 알려 주셔서 감사합니다.	이현주	4
680	힌트 게임 좀 바꾸면 어떨까요? 계속 똑같은 것만 하니까 좀 식상해요.	최승우	17
679	과학 분야 퀴즈 문제 추천합니다!!	김하은	9
678	오늘 문제 너무 어렵지 않았어요? 하나도 못 맞혀서 얼마나 창피했다고요.ㅠㅠ	서빈	13

1) 윗글의 내용과 <u>다른</u> 것을 고르십시오.

① 이 방송에서 1등을 하면 상금을 받을 수 있다.
② 이 방송에 출연한 사람들은 특별 공연을 한다.
③ 일반인들이 출연해서 퀴즈를 푸는 프로그램이다.
④ 게임을 통해서 퀴즈 문제의 힌트를 얻을 수 있다.

2) ㉠에 들어갈 알맞은 말을 고르십시오.

① 자극적일　　　　　　② 상식을 쌓을
③ 위로를 줄　　　　　　④ 영향력이 클

2. 중요한 내용에 표시하면서 다시 한번 읽어 보십시오.

① 1. 앞에서 읽은 글의 내용을 떠올려 보십시오. 읽은 내용을 간단히 정리해 보십시오.

② 2. 다음의 핵심어를 참고하여 빈칸에 알맞은 문장을 써서 글을 완성해 보십시오.

〈문제다, 문제!!〉
목요일 저녁 8시 | 예능 | 12세 이상

소개

음악, 스포츠, 미술, 경제, 과학 등 1) _____

_____ . (다양한 분야, 상식을 쌓다, 교양 예능 프로그램)

매주 열 명의 스타가 출연해 1등 상금을 놓고 2) _____

_____ . (뜨겁다, 퀴즈 대결, 펼치다) **과연 상금을**

가져갈 한 사람은 누구일까?! 힌트를 얻기 위한 재미있는 게임과 특별 공연까지 준비되어

있는 〈문제다, 문제!!〉. 매주 목요일 저녁, 3) _____

_____ . (시청자, 건강한 웃음, 전달하다)

시청자 참여

NO	제목	작성자	조회수
681	좋은 정보 알려 주셔서 감사합니다.	이현주	4
680	힌트 게임 좀 바꾸면 어떨까요? 4) _____ . (계속 똑같은 것만 하다, 식상하다)	최승우	17
679	과학 분야 퀴즈 문제 추천합니다!!	김하은	9
678	오늘 문제 너무 어렵지 않았어요? 5) _____ _____ . (하나도 못 맞히다, 창피하다) ㅠㅠ	서빈	13

1. 다음과 같이 문장을 바꿔 보십시오.

 그 남자가 갑자기 주인공을 본 다음에 눈물을 글썽거렸어요.
→ 그 남자가 갑자기 주인공을 보더니 눈물을 글썽거렸어요.

1) 주인공이 전화를 받은 다음에 갑자기 뛰기 시작했어요.

→ _____ .

2) 안나가 남자 친구와 헤어진 다음에 학교에 계속 안 나와요.

→ _____ .

3) 어젯밤에 비바람이 세게 분 다음에 나무가 쓰러졌어요.

→ _____ .

4) 기온이 계속 떨어진 다음에 강이 꽁꽁 얼었어요.

→ _____ .

5) 제 친구는 건강이 안 좋아진 다음에 운동을 시작했어요.

→ _____ .

2. '−더니'를 사용해서 문장을 만들어 보십시오.

1) 민호 씨, 꽃을 사다, 어머니께 가져다 드리다

→ _____ .

2) 재민 씨, 한 시간 넘게 걷다, 자리에 주저앉다

→ _____ .

3) 제 친구, 야식을 끊다, 다이어트에 성공하다

→ _____ .

4) 어제, 비가 많이 오다, 다리가 물에 잠기다

→ _____ .

1. 다음과 같이 빈칸을 채워 보십시오.

		-는/(으)ㄴ 것이다
1)	처음부터 긴장감이 넘치다	처음부터 긴장감이 넘치는 거예요.
2)	한국어 발음이 너무 좋다	
3)	라디오를 매일 듣다	
4)	숙박비가 너무 비싸다	
5)	그 도시에 대해 너무 잘 알다	
6)	며칠 동안 계속 밥을 안 먹다	
7)	돈을 다 쓰다	

2. 다음과 같이 문장을 바꿔 보십시오.

 친구한테 전화를 하려는데 휴대폰이 없었어요.
→ 친구한테 전화를 하려는데 휴대폰이 없는 거예요.

1) 친구가 갑자기 문을 세게 닫았어요.

   → _____ .

2) 불고기를 만드는 게 생각보다 너무 쉬웠어요.

   → _____ .

3) 저도 배가 고픈데 동생이 라면을 한 개만 끓였어요.

   → _____ .

4) 너무 피곤해서 침대에 눕자마자 잠이 들었어요.

   → _____ .

3. '-는/(으)ㄴ 것이다'를 사용해서 문장을 만들어 보십시오.

1) 어제, 영화 〈지하세계〉를 보다, 내용이 너무 현실적이다

   → _____ .

2) 유진 씨의 마음, 이해하려고 노력하다, 도저히 이해가 안 되다

   → _____ .

3) 자전거를 타다, 한강공원에 가다, 경치가 너무 아름답다

   → _____ .

4) 쉬는 시간, 잠깐 졸다, 공연이 다 끝나 버리다

   → _____ .

1. 다음에서 알맞은 말을 골라 쓰십시오.

| 재회하다 | 범인을 쫓다 | 반전이 있다 | 도망치다 | 사라지다 |

1) [   ] : 사건이 예상한 것과 다른 방향으로 바뀌다.

2) [   ] : 잡히지 않으려고 다른 곳으로 가다.

3) [   ] : 시간이 지나서 다시 만나다.

4) [   ] : 어떤 사람이나 물건이 없어지다.

5) [   ] : 법을 안 지킨 사람을 잡으려고 따라가다.

2. 다음에서 알맞은 말을 골라 글을 완성하십시오.

| 사라지다 | 갈등을 겪다 | 우연히 마주치다 | 행복한 결말을 맺다 | 새로운 인물이 등장하다 |

얼마 전에 한 디자이너의 성공 스토리에 대한 영화를 봤다. 주인공은 어릴 때부터 화가를 꿈꾸었지만 집이 어려워서 미술을 그만두게 된다. 그렇게 꿈이 1) _____ 의미 없는 시간을 보내고 있는 주인공 앞에 인생을 바꿔 줄 2) _____. 그 사람은 바로 세계적으로 유명한 의류 회사의 사장이었다. 그 사장은 길에서 3) _____ 주인공이 더러워진 옷에 직접 그림을 그리는 것을 보고 디자이너로서의 재능을 한눈에 알아본다. 다른 직원들의 반대로 4) _____ 결국 주인공에게 디자인을 부탁했고, 주인공이 디자인한 옷은 큰 인기를 끌게 된다. 결국 주인공이 꿈을 이루면서 영화는 5) _____.

1. 다음을 잘 듣고 이 드라마는 어떤 내용의 드라마인지 써 보십시오. 🔊 01

2. 다시 한번 들으면서 빈칸에 알맞은 말을 써 보십시오. 🔊 02

> 마리 : 안나, 혹시 〈너와 나의 이야기〉라는 드라마 알아?
>
> 안나 : 아, 그거 제목만 들어 봤어. 재미있다던데 어떤 내용이야?
>
> 마리 : 남자 주인공이 다니고 있는 고등학교에 여자 주인공이 전학을 오는데, 1) _____ .
>
> 안나 : 아, 순수한 사랑 이야기구나.
>
> 마리 : 응. 그런데 그게 다가 아니야. 제일 행복할 때 2) _____ .
>
> 안나 : 그럼 두 사람도 헤어져?
>
> 마리 : 응. 그리고 헤어진 지 10년 만에 남자가 한국으로 돌아와. 그런데 3) _____ .
>
> 안나 : 4) _____ . 그래서 그다음은 어떻게 돼?
>
> 마리 : 결국은 행복하게 끝나지만 5) _____ . 그걸 해결하는 과정이 재미있는 드라마야.

3. 대화를 듣고 따라 해 보십시오. 🔊 03

   1) 대화를 보면서 듣고 따라 해 보십시오.

   2) 대화를 보지 않고 들으면서 따라 해 보십시오.

4. 발음과 억양에 유의해서 다음 문장을 듣고 따라 해 보십시오. 🔊 04

   제일 행복할 때 / 남자 주인공이 / 가족들과 같이 / 외국으로 가게 된 거야.

1. 다음 글을 읽고 질문에 답하십시오.

> 며칠 전에 친구의 추천으로 〈비밀의 밤〉이라는 영화를 보게 되었다. 그 영화는 긴장감이 넘치는 추리 영화였다. 영화의 주인공 수진은 비가 많이 오는 늦은 밤, 집으로 돌아가는 길에 교통사고를 당한다. 갑작스러운 사고로 머리를 다친 수진은 기억을 잃고 가족들의 보호를 받으면서 지내게 된다. 그런데 어느 날 수진이 한 통의 전화를 받더니 깜짝 놀라서 사고 장소로 달려간다. 그곳에서 수진은 자신이 누군가를 피해서 도망을 치다가 사고를 당한 기억이 모두 떠오르는데, 영화의 후반부에 밝혀지는 수진의 사고와 사라진 기억에는 예상하지 못한 ㉠ _____. 특히, 사고 후 수진을 돌본 사람들이 수진의 진짜 가족이 아니라는 것을 알게 될 때는 온몸에 소름이 돋았다. 수진이 왜 도망을 치게 됐는지, 진짜 가족들과 재회할 수 있을지 계속 긴장하면서 영화를 보다 보니 두 시간이 금방 지나 있었다. 놀라운 스토리뿐만 아니라 배우들의 뛰어난 연기력과 신선한 연출이 더해져 지루할 틈이 없는 영화였다.

1) 윗글의 내용과 같은 것을 고르십시오.

① 수진은 사고 장소에서 진짜 가족을 만났다.
② 수진은 사고를 당한 후에 혼자 지내고 있었다.
③ 수진은 진짜 가족을 만난 후에 기억이 떠올랐다.
④ 수진은 누군가를 피해서 도망을 치다가 교통사고를 당했다.

2) ㉠에 들어갈 알맞은 말을 고르십시오.

① 감동이 있었다
② 반전이 있었다
③ 실망이 있었다
④ 행복이 있었다

2. 중요한 내용에 표시하면서 다시 한번 읽어 보십시오.

1. 앞에서 읽은 글의 내용을 떠올려 보십시오. 읽은 내용을 간단히 정리해 보십시오.

2. 다음의 핵심어를 참고하여 빈칸에 알맞은 문장을 써서 글을 완성해 보십시오.

며칠 전에 친구의 추천으로 〈비밀의 밤〉이라는 영화를 보게 되었다. 그 영화는 1) ⎯⎯⎯⎯⎯⎯⎯

⎯⎯⎯⎯⎯⎯⎯⎯⎯⎯⎯⎯⎯⎯⎯⎯⎯ . (긴장감, 넘치다, 추리 영화) 영화의 주인공 수진은

비가 많이 오는 늦은 밤, 집으로 돌아가는 길에 교통사고를 당한다. 갑작스러운 사고로 머리를

다친 수진은 기억을 잃고 가족들의 보호를 받으면서 지내게 된다. 그런데 어느 날 수진이 한 통의

2) ⎯⎯⎯

⎯⎯⎯⎯⎯⎯⎯⎯⎯ . (전화를 받다, 깜짝 놀라다, 사고 장소로 달려가다) 그곳에서 수진은 자신이

누군가를 피해서 도망을 치다가 사고를 당한 기억이 모두 떠오르는데, 영화의 후반부에 밝혀지는

3) ⎯⎯⎯

⎯⎯⎯⎯⎯⎯⎯⎯⎯⎯⎯⎯⎯⎯⎯ . (수진의 사고와 사라진 기억, 예상하지 못하다, 반전이 있다)

특히, 사고 후 수진을 돌본 사람들이 수진의 진짜 가족이 아니라는 것을 알게 될 때는 온몸에 소름이

돋았다. 수진이 왜 도망을 치게 됐는지, 진짜 가족들과 재회할 수 있을지 4) ⎯⎯⎯⎯⎯⎯⎯⎯⎯⎯⎯

⎯⎯⎯⎯⎯⎯⎯⎯⎯⎯⎯⎯⎯⎯⎯⎯⎯⎯⎯ . (계속 긴장하다, 영화를 보다, 두 시간이 금방 지나다)

놀라운 스토리뿐만 아니라 5) ⎯⎯⎯⎯⎯⎯⎯⎯⎯⎯⎯⎯⎯⎯⎯⎯⎯⎯⎯⎯⎯⎯⎯⎯⎯⎯⎯⎯⎯⎯⎯⎯⎯⎯

⎯⎯⎯⎯⎯⎯⎯⎯⎯⎯⎯⎯ . (배우들의 뛰어난 연기력, 신선한 연출이 더해지다, 지루할 틈이 없다, 영화)

1. 다음과 같이 빈칸을 채워 보십시오.

		(으)로서
1)	유명한 관광지, 관광객이 많이 찾다	유명한 관광지로서 관광객이 많이 찾는다.
2)	한국 대표 음식, 널리 알려져 있다	
3)	영화 촬영지, 아주 유명하다	
4)	고전 소설, 지금도 널리 읽히고 있다	
5)	정치인, 항상 국민을 생각해야 한다	
6)	배우, 연기를 잘하는 것은 당연하다	
7)	장학생, 더 열심히 공부할 것이다	

2. 다음과 같이 문장을 바꿔 보십시오.

나는 역사 전문가이다. 항상 올바른 역사를 전하려고 노력한다.
→ 나는 역사 전문가로서 항상 올바른 역사를 전하려고 노력한다.

1) 나는 한국어 선생님이다. 최선을 다해 가르치려고 한다.

   → _____ .

2) 나는 작가이다. 언제나 식상하지 않은 이야기를 쓰려고 노력한다.

   → _____ .

3) 무궁화는 한국을 대표하는 꽃이다. 나라의 중요한 행사에 꼭 사용된다.

   → _____ .

4) 불국사는 한국의 유명한 사찰이다. 해마다 많은 사람들이 방문한다.

   → _____ .

3. '(으)로서'를 사용해서 문장을 만들어 보십시오.

1) 〈달리자〉, 인기 예능 프로그램, 10년이 넘게 방송되고 있다 → _____ .

2) 이곳, 남편을 처음 만난 장소, 나에게는 아주 특별한 곳이다 → _____ .

3) 추석, 한국의 대표 명절, 한국 사람들에게 아주 중요한 날이다 → _____ .

4) 나, 영화감독, 영화 제작에 많은 책임감을 느끼다 → _____ .

에 대해서

---

1. 다음과 같이 문장을 바꿔 보십시오.

오늘 한국어 수업에서 한글의 역사를 배웠어요.
→ 오늘 한국어 수업에서 한글의 역사에 대해서 배웠어요.

1) 저는 제 고향인 부산을 소개하고 싶어요.

→ _____.

2) 저는 세계적으로 유명한 관광지를 발표할 거예요.

→ _____.

3) 저는 조선의 궁궐을 연구하고 있어요.

→ _____.

4) 오늘 선생님께 제 고민을 이야기했어요.

→ _____.

5) 그 사람은 제게 상처를 준 일을 아예 기억하지 못해요.

→ _____.

---

2. '에 대해서'를 사용해서 문장을 만들어 보십시오.

1) 나, 정치, 관심이 많은 편이다

→ _____.

2) 나, 남자 친구와의 결혼, 진지하게 생각하고 있다

→ _____.

3) 내 친구, 연애, 전혀 관심이 없다

→ _____.

4) 교수님, 한국의 경제 발전, 설명하다

→ _____.

지역의 특징

---

1. 다음에서 알맞은 말을 골라 쓰십시오.

| 자원이 풍부하다 | 인구가 집중되어 있다 | 교통의 요충지이다 |

| 환경이 쾌적하다 | 공장이 모여 있다 |

1) [   ] : 주변의 조건이나 상태가 아주 좋다.

2) [   ] : 물건 등을 만들 수 있는 재료가 부족하지 않고 많다.

3) [   ] : 물품을 만들어 내는 시설들이 한곳에 있다.

4) [   ] : 많은 사람들이 한곳에 모여서 살고 있다.

5) [   ] : 교통이 발달되어 있거나 여러 지역을 연결하여 교통 면에서 아주 중요한 곳이다.

---

2. 다음에서 알맞은 말을 골라 글을 완성하십시오.

| 환경이 쾌적하다 | 일자리가 부족하다 | 사람들이 주로 농사를 짓다 |

| 아름다운 자연을 자랑하다 | 경제의 중심지 역할을 한다. |

한국의 시골은 대부분 푸른 산과 들, 강이 조화를 이루어서 1) ....

소음이나 공해도 없어서 2) .... 이처럼 시골은 살기 좋은

곳이지만 젊은 사람들은 대부분 도시에서 살기를 원한다. 그 이유는 젊은 사람들이 돈을 벌 수 있는

3) .... 때문이다. 시골에서는 4) ....

젊은이들은 농사가 아닌 다른 일자리를 원하는 경우가 많다. 대도시들이 한국 5) ....

.... 때문에 회사들이 대부분 도시에 있고, 그래서 젊은 사람들이 일자리를 찾아 도시로 가는 것이다.

1. 다음을 잘 듣고 경주는 어떤 도시인지 써 보십시오.

🔊 01

---

2. 다시 한번 들으면서 빈칸에 알맞은 말을 써 보십시오.

🔊 02

주노 : 1) _____ .

경주는 한국의 남동쪽에 위치한 도시입니다. 2) _____

_____ . 지금도 경주에는

신라 시대의 유적과 유물들이 도시 곳곳에 남아 있습니다. 그래서 사람들은 경주를 '지붕

없는 박물관'이라고 부르기도 합니다. 이렇게 3) _____

_____ . 신라 시대 왕들의 무덤, 별을 관찰하기 위해

만들어진 첨성대, 신라 시대의 궁궐과 연못 등 많은 볼거리가 있죠. 4) _____

_____ .

불국사는 신라 시대 최고의 건축물이라고 할 수 있죠. 불국사에는 두 개의 탑이 있는데요.

장식이 없어서 깔끔한 느낌을 주는 석가탑, 화려하고 우아한 느낌을 주는 다보탑이 그것

입니다. 다보탑은 한국의 10원짜리 동전에도 새겨져 있는 거 아시죠? 여러분, 이번 주말에는

5) _____

_____

_____ ?

---

3. 대화를 듣고 따라 해 보십시오.

🔊 03

1)   대화를 보면서 듣고 따라 해 보십시오.

2)   대화를 보지 않고 들으면서 따라 해 보십시오.

---

4. 발음과 억양에 유의해서 다음 문장을 듣고 따라 해 보십시오.

🔊 04

별을 관찰하기 위해 만들어진 첨성대, / 신라 시대의 궁궐과 연못 등 / 많은 볼거리가 있죠.

1. 다음 글을 읽고 질문에 답하십시오.

관광객에게 사랑받는 도시

방콕과 런던은 외국인 관광객들이 많이 찾는 도시로 유명하다. 방콕은 태국의 수도로서 관광 자원이 풍부한 도시이다. 그래서 짧은 시간 동안 방문하는 여행자뿐만 아니라 '외국에서 한 달 살기'를 희망하는 여행자들에게도 인기가 많다. 런던은 영국의 수도로서 정치, 경제, 사회, 문화의 중심지 역할을 하는 곳이다. 그리고 세계 최대의 도시 중 하나이기도 하다. 그래서 해마다 많은 외국인 관광객이 방문하는 곳이다.

자원이 풍부한 도시

자원이 풍부한 도시에는 어떤 곳이 있을까? 미국의 알래스카는 금, 석유, 천연가스 같은 자원이 풍부한 곳으로 알려져 있다. 또한 오염되지 않은 깨끗한 물과 공기를 자랑하는 곳이기도 하다. 그러나 알래스카는 땅은 매우 넓지만 인구는 많지 않다. 북극과 가까워서 날씨가 춥기 때문이다.

사람들이 주로 꽃 농사를 짓는 도시

네덜란드는 세계에서 가장 많은 튤립과 수선화를 재배한다. 네덜란드에는 바닷물을 막아서 만든 땅이 많다. 이런 땅에는 곡식이나 채소 농사를 짓기가 힘들다. 그래서 (　　　㉠　　　) 땅에서도 잘 자라는 튤립과 같은 꽃을 키우는 것이다.

1) 윗글의 내용과 같은 것을 고르십시오.

① 알래스카주는 인구는 많지만 땅이 넓지 않다.
② 런던은 금, 석유 같은 자원이 풍부한 도시이다.
③ 방콕은 오래 머무는 여행객에게도 인기가 많다.
④ 네덜란드의 도시들은 외국인이 많은 것으로 유명하다.

2) ㉠에 들어갈 알맞은 말을 고르십시오.

① 바닷물이 부족한　　　　　　② 소금 성분이 많은
③ 날씨가 춥고 건조한　　　　　④ 곡식이나 채소를 심는

2. 중요한 내용에 표시하면서 다시 한번 읽어 보십시오.

1. 앞에서 읽은 글의 내용을 떠올려 보십시오. 읽은 내용을 간단히 정리해 보십시오.

2. 다음의 핵심어를 참고하여 빈칸에 알맞은 문장을 써서 글을 완성해 보십시오.

관광객에게 사랑받는 도시

방콕과 런던은 외국인 관광객들이 많이 찾는 도시로 유명하다. 방콕은 1) _____

_____. (태국의 수도, 관광 자원)

그래서 짧은 시간 동안 방문하는 여행자뿐만 아니라 '외국에서 한 달 살기'를 희망하는 여행자들에게도

인기가 많다. 런던은 2) _____

_____. (영국의 수도, 정치, 경제, 사회, 문화의 중심지)

그리고 세계 최대의 도시 중 하나이기도 하다. 그래서 해마다 많은 외국인 관광객이 방문하는 곳이다.

자원이 풍부한 도시

자원이 풍부한 도시에는 어떤 곳이 있을까? 미국의 알래스카는 금, 석유, 천연가스 같은 자원이

풍부한 곳으로 알려져 있다. 또한 오염되지 않은 3) _____

_____. (깨끗한 물과 공기, 자랑하다) **그러나 알래스카는**

땅은 매우 넓지만 인구는 많지 않다. 북극과 가까워서 날씨가 춥기 때문이다.

사람들이 주로 꽃 농사를 짓는 도시

네덜란드는 세계에서 가장 많은 튤립과 수선화를 재배한다. 네덜란드에는 4) _____

_____. (바닷물을 막다, 만들다, 땅) **이런 땅에는**

곡식이나 채소 농사를 짓기가 힘들다. 그래서 소금 성분이 많은 땅에서도 5) _____

_____. (잘 자라다, 튤립, 키우다)

1. 다음과 같이 빈칸을 채워 보십시오.

		-(으)며
1)	이 도시에는 유명한 해변이 많다	이 도시에는 유명한 해변이 많으며
2)	이사한 집은 주변 환경이 쾌적하다	
3)	온라인 쇼핑은 환불하기가 힘들다	
4)	오늘은 폭설로 인해 길이 미끄럽다	
5)	이 음식에는 다양한 재료가 들어 있다	
6)	이 지역은 정치의 중심지이다	
7)	그 영화는 배우들의 연기가 뛰어나다	

2. 다음과 같이 문장을 바꿔 보십시오.

제주도는 한국에서 가장 큰 섬이고 아름다운 경치로 유명합니다.
→ 제주도는 한국에서 가장 큰 섬이며 아름다운 경치로 유명합니다.

1) 이 도시는 역사가 매우 깊고 유명한 유적지가 많습니다.

    → _____ .

2) 이 병에 걸리면 숨을 쉬기가 어렵고 심한 두통이 나타납니다.

    → _____ .

3) 방콕은 볼거리가 많고 물가도 저렴해서 인기 있는 관광지입니다.

    → _____ .

4) 그곳에서는 멋있는 풍경을 볼 수 있고 다양한 수상 레포츠도 즐길 수 있습니다.

    → _____ .

3. '-(으)며'를 사용해서 문장을 만들어 보십시오.

1) 안나, 성격이 적극적이다, 활발해서 친구가 많다

    → _____ .

2) 부산, 한국에서 두 번째로 큰 도시이다, 아름다운 바다로 유명하다

    → _____ .

3) 이 스마트폰, 가볍다, 가격도 싸서 인기가 많다

    → _____ .

4) 그 사업, 큰돈이 필요하지 않다, 열정만 있으면 누구나 시작할 수 있다

    → _____ .

-고자 하다

① 다음과 같이 문장을 바꿔 보십시오.

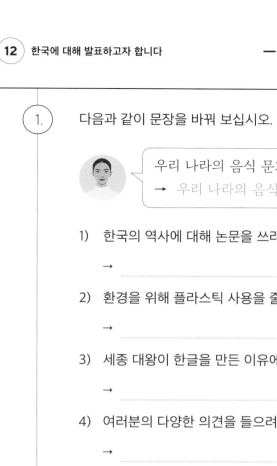

우리 나라의 음식 문화에 대해 발표하려고 합니다.
→ 우리 나라의 음식 문화에 대해 발표하고자 합니다.

1) 한국의 역사에 대해 논문을 쓰려고 합니다.

→ ....

2) 환경을 위해 플라스틱 사용을 줄이려고 합니다.

→ ....

3) 세종 대왕이 한글을 만든 이유에 대해 알아보려고 합니다.

→ ....

4) 여러분의 다양한 의견을 들으려고 합니다.

→ ....

5) 지친 사람들에게 위로가 되는 프로그램을 만들려고 합니다.

→ ....

② '-고자 하다'를 사용해서 문장을 만들어 보십시오.

1) 열심히 돈을 모으다, 세계 일주를 하다

→ ....

2) 한국어를 열심히 공부하다, 한국으로 유학을 가다

→ ....

3) 열심히 연구하다, 새로운 기술을 개발하다

→ ....

4) 다양한 방법으로 홍보하다, 제품에 대한 관심을 높이다

→ ....

국가 소개

1. 다음에서 알맞은 말을 골라 쓰십시오.

| 상징 | 주요 산업 | 정치 제도 | 민족 | 화폐 |

1) [   ] : 고유한 언어, 문화, 역사를 가진 사람들의 집단.

2) [   ] : 국가를 유지하고 다스리기 위한 체계.

3) [   ] : 눈에 보이지 않는 추상적인 개념을 나타낸 구체적인 사물.

4) [   ] : 상품을 교환할 수 있는 수단이 되는 것.

5) [   ] : 특정 지역에 사는 대부분의 사람들이 직업으로 가지는 농업, 공업, 관광업 등의 일.

2. 다음에서 알맞은 말을 골라 글을 완성하십시오.

| 화폐 | 면적 | 언어 | 기후 | 종교 |

　　오늘은 피라미드로 유명한 이집트에 대해 소개하고자 합니다. 이집트는 1) ＿＿＿＿＿＿ 한국보다 약 10배 정도 넓습니다. 그리고 이집트의 2) ＿＿＿＿＿＿ 대체로 습기가 없고 건조합니다. 이집트인의 3) ＿＿＿＿＿＿ 대부분 이슬람교이며, 아랍어를 공식 4) ＿＿＿＿＿＿ 사용합니다. 이집트의 5) ＿＿＿＿＿＿ '파운드'와 '피아스타'가 있는데, 100피아스타는 1파운드이며 이집트의 유명한 인물들과 건축물들이 그려져 있습니다.

① 다음을 잘 듣고 남자가 소개하는 호주는 어떤 나라인지 써 보십시오.

> 01

---

② 다시 한번 들으면서 빈칸에 알맞은 말을 써 보십시오.

> 02

> 김유미 : 안녕하세요? 〈출발! 세계 속으로〉의 김유미입니다. 오늘은 여러분들께 캥거루의 나라,
>
> 　　　　1) _____ . 여행 작가 이경호 씨
>
> 　　　　나오셨습니다. 안녕하세요?
>
> 이경호 : 반갑습니다. 이경호입니다.
>
> 김유미 : 경호 씨는 2) _____ ,
>
> 　　　　호주를 특별히 좋아하는 이유가 있으신가요?
>
> 이경호 : 저는 아름다운 자연환경을 좋아합니다. 호주는 3) _____
>
> 　　　　_____ , 인구가 적어서 오염되지 않은 자연환경으로 유명한
>
> 　　　　나라지요. 그래서 제가 가장 좋아하는 나라입니다.
>
> 김유미 : 네. 그렇군요. 그런데 4) _____ .
>
> 이경호 : 네. 맞습니다. 한국이 여름일 때 호주는 겨울이고, 한국이 겨울일 때 호주는 여름입니다.
>
> 　　　　그래서 5) _____
>
> 　　　　볼 수 있지요.
>
> 김유미 : 여름에 맞이하는 크리스마스, 기분이 새로울 것 같습니다. 그럼 지금부터 이경호 작가님이
>
> 　　　　준비한 아름다운 호주의 풍경을 만나 보겠습니다.

---

③ 대화를 듣고 따라 해 보십시오.

1) 대화를 보면서 듣고 따라 해 보십시오.

2) 대화를 보지 않고 들으면서 따라 해 보십시오.

---

④ 발음과 억양에 유의해서 다음 문장을 듣고 따라 해 보십시오.

> 호주는 / 전 세계에서 / 여섯 번째로 면적이 넓습니다.

1. 다음 글을 읽고 질문에 답하십시오.

> 그리스는 유럽의 남쪽에 위치해 있으며 인구가 약 1,000만 명 정도인 작은 섬나라이다. 그리고 그리스는 고대 문명이 시작된 곳으로도 유명하다.
>
> 이런 점 때문에 그리스에서는 섬나라라는 자연환경과 역사적인 유적을 활용한 산업이 발달하였다. 그리스의 대표 산업은 관광 산업이다. 그리스는 아름다운 바다가 있고 날씨가 따뜻해서 여행하기 매우 좋다. 그리고 고대 문명을 볼 수 있는 역사적인 유적이 많이 남아 있다. 따라서 아름다운 바다와 역사 유적을 동시에 보고 싶어 하는 많은 관광객들이 찾는다. 그리고 바다로 둘러싸여 있는 그리스는 바다를 통해 물건을 운반하는 해운업도 발달하였다. 그리스는 전 세계에서 가장 많은 배를 가진 국가로서 많은 사람들이 그리스의 배를 가지고 무역을 한다.

1) 윗글의 제목으로 가장 어울리는 것을 고르십시오.

 ① 그리스의 자연환경
 ② 그리스의 주요 산업
 ③ 그리스의 위치와 면적
 ④ 그리스의 고대 문명과 역사

2) 윗글의 내용과 같은 것을 고르십시오.

 ① 그리스는 섬나라로서 면적이 넓다.
 ② 그리스에서는 농사를 짓는 사람이 많다.
 ③ 그리스에는 역사적인 유적이 많이 있다.
 ④ 그리스에서는 주로 배를 이용해 관광을 한다.

2. 중요한 내용에 표시하면서 다시 한번 읽어 보십시오.

1. 앞에서 읽은 글의 내용을 떠올려 보십시오. 읽은 내용을 간단히 정리해 보십시오.

2. 다음의 핵심어를 참고하여 빈칸에 알맞은 문장을 써서 글을 완성해 보십시오.

그리스는 1) _____ (유럽, 남쪽, 위치해 있다)

인구가 약 1,000만 명 정도인 작은 섬나라이다. 그리고 그리스는 고대 문명이 시작된 곳으로도 유명하다.

이런 점 때문에 그리스에서는 섬나라라는 2) _____

_____. (자연환경, 역사적인 유적, 산업, 발달하다)

그리스의 대표 산업은 관광 산업이다. 그리스는 아름다운 바다가 있고 날씨가 따뜻해서 여행하기 매우 좋다. 그리고 3) _____

_____. (고대 문명, 역사적인 유적, 남아 있다)

따라서 4) _____

_____. (아름다운 바다, 역사 유적, 동시에 보다, 관광객)

그리고 바다로 둘러싸여 있는 그리스는 바다를 통해 물건을 운반하는 해운업도 발달하였다.

그리스는 5) _____ (전 세계,

가장 많은 배, 국가) 많은 사람들이 그리스의 배를 가지고 무역을 한다.

부록

/ 듣기 지문 　　　　 / 모범 답안 　　　　 / 자료 출처

듣기
지문
4A

듣고 말하기 │ 1~3번 │ 15쪽

안나: 해리 씨도 호주에 여행을 가 본 적이 있지요?

해리: 네. 작년에 친구하고 호주 멜버른에 갔다 왔어요. 안나 씨는요?

안나: 저는 이번에 멜버른에 가려고 해요. 그런데 멜버른에서는 어디가 갈 만해요?

해리: 저는 멜버른에서 퀸 빅토리아 시장이 좋았어요. 멜버른 시내에 있는 큰 시장인데 활기 넘치는 시장의 모습을 보는 것이 재미있었어요.

안나: 여행 책에서 보니까 멜버른 왕립 식물원도 있다고 하던데 거기도 가 봤어요?

해리: 네. 거기도 여유롭게 산책할 수 있어서 참 좋았어요. 산책하는 것을 좋아한다면 한 번 가 볼 만한 곳이에요.

듣고 말하기 │ 4번 │ 15쪽

발음과 억양에 유의해서 다음 문장을 듣고 따라 해 보십시오.

여행 책에서 보니까 / 멜버른 왕립식물원도 있다고 하던데 / 거기도 가 봤어요?

03 🔊 드디어 새 앨범이 나온대

듣고 말하기 │ 1~3번 │ 21쪽

안나: 수지야, 그 소식 들었어? 한국 영화 〈무지개〉의 주인공이 외국의 유명 영화제에서 연기상을 받았대.

수지: 나도 아까 뉴스에서 봤어. 그 영화제에서 다른 나라 배우가 연기상을 수상한 건 이번이 처음이래.

안나: 응. 그래서 기사가 많이 나왔더라고.

수지: 그런데 영화가 무슨 내용이야? 나는 영화가 개봉했을 때 시험 기간이라서 못 봤거든.

안나: 나도 못 봤어. 그런데 마리가 영화관에 가서 봤는데 가족의 사랑을 그린 따뜻한 영화였대.

수지: 나도 한번 보고 싶다. 요즘에도 볼 수 있는 곳이 있을까?

안나: 이번에 상 받은 기념으로 영화관에서 다시 상영을 한대. 우리 같이 보러 갈까?

수지: 그래. 그럼 같이 보러 가자.

듣고 말하기 │ 4번 │ 21쪽

발음과 억양에 유의해서 다음 문장을 듣고 따라 해 보십시오.

이번에 / 상 받은 기념으로 / 영화관에서 / 다시 상영을 한대.

---

01 🔊 여건이 된다면 외국에서 1년쯤 살아 봤으면 해요

듣고 말하기 │ 1~3번 │ 9쪽

안나: 무슨 영상을 그렇게 열심히 보고 있어?

유진: 아, 이거. 친구 네 명이 같이 캠핑카 여행을 하는 내용이야.

안나: 와! 좋겠다. 여행도 하고 친구들이랑 추억도 쌓고. 다들 표정이 행복해 보이네.

유진: 그렇지? 나도 졸업하기 전에 친구들과 같이 이런 여행을 한번 가 봤으면 해. 그래서 영상을 찾아보고 있었어.

안나: 그럼 우리 이번 방학 때 캠핑카 빌려서 같이 여행 가자. 사실 나도 기회가 된다면 꼭 해 보고 싶었거든.

유진: 그럼 나야 좋지. 캠핑카를 타고 가다가 분위기 좋은 곳에 차를 세우고 커피 마시면서 이야기를 나누는 거야. 어때?

안나: 생각만 해도 낭만적이다. 우리 구체적으로 계획 좀 세워 보자.

듣고 말하기 │ 4번 │ 9쪽

발음과 억양에 유의해서 다음 문장을 듣고 따라 해 보십시오.

나도 / 졸업하기 전에 / 친구들과 같이 / 이런 여행을 한번 가 봤으면 해.

듣고 말하기 | 1~3번 | 27쪽

마리: 진 씨, 괜찮아요? 자전거 사고가 났다고 들었어요.

진: 네. 자전거를 타고 가다가 사고가 났어요. 휴대폰을 보면서 걸어가는 사람이 갑자기 도로로 나와서 피하다가 자동차와 부딪쳤어요.

마리: 많이 다치지는 않았어요?

진: 다행히 크게 다치지는 않았어요. 하지만 사고로 인해서 다리가 아파서 주말에 병원에서 검사를 받았어요.

마리: 그렇군요. 사고가 나면 며칠 후에 아플 수도 있대요. 그러니까 무리하지 말고 쉬세요.

진: 그럴게요. 푹 쉬면서 건강을 회복할게요. 고마워요.

듣고 말하기 | 4번 | 27쪽

발음과 억양에 유의해서 다음 문장을 듣고 따라 해 보십시오.

사람이/갑자기 도로로 나와서/피하다가/자동차와 부딪쳤어요.

05 🔊 어떤 앱을 주로 사용하냐면요

듣고 말하기 | 1~3번 | 33쪽

수지: 해리 씨, 이사 다 했어요?

해리: 네. 다 했어요. 짐은 모두 옮겼는데 집을 꾸미기가 너무 어려워요.

수지: 저도 처음 이사했을 때 그랬어요. 그래서 앱에서 도움을 많이 받았는데 소개해 줄까요?

해리: 그래요? 어떤 앱이에요?

수지: 어떤 앱이냐면 바로 '우리집'이라는 앱이에요. 이 앱에서 예쁜 집을 구경할 수도 있고, 사진 속에 있는 여러 가지 물건을 싸게 살 수도 있어요.

해리: 그래요? 정말 편리하네요.

수지: 집을 꾸미다가 궁금한 게 있으면 물어볼 수도 있어요. 물어보면 회원들이 직접 대답도 해 줘서 큰 도움이 되었어요.

해리: 고마워요. 지금 당장 설치해야겠네요.

듣고 말하기 | 4번 | 33쪽

발음과 억양에 유의해서 다음 문장을 듣고 따라 해 보십시오.

짐은 모두 옮겼는데/집을 꾸미기가/너무 어려워요.

06 🔊 마늘은 면역력을 높여 줄 뿐만 아니라 암 예방에도 좋습니다

듣고 말하기 | 1~3번 | 39쪽

재민: 마리 씨, 혹시 뭐 안 좋은 일 있어요? 오늘 계속 힘이 없어 보여서요.

마리: 아, 좀 피곤해서 그래요. 요즘 날씨가 너무 더워서 밤에 잠도 잘 못 자고 땀도 많이 흘리니까 체력이 떨어지는 것 같아요.

재민: 맞아요. 저도 그래요. 근데 이럴 때 가만히 있으면 안 되고 건강에 더 신경 써야 돼요.

마리: 그렇지요. 근데 아무것도 하기 싫어서 쉬는 날에도 그냥 누워만 있어요.

재민: 먹는 건 잘 먹고 있어요? 전 요즘 음식을 잘 챙겨 먹으려고 노력 중이에요.

마리: 그래요? 특별히 신경 쓰는 게 있어요?

재민: 전보다 과일을 자주 먹고 있어요. 과일만 잘 먹어도 체력 보충에 훨씬 도움이 돼요. 땀을 많이 흘리니까 수분이 풍부한 수박을 먹어도 좋고, 비타민이 풍부한 포도도 좋아요. 포도는 피로 회복에 좋을 뿐만 아니라 면역력을 높여 주는 효과도 있어요.

마리: 그러고 보니까 맨날 과자나 아이스크림만 먹고 과일은 잘 안 먹은 거 같아요. 집에 가면서 과일 좀 사 가야겠어요. 고마워요, 재민 씨.

듣고 말하기 | 4번 | 39쪽

발음과 억양에 유의해서 다음 문장을 듣고 따라 해 보십시오.

포도는/피로 회복에 좋을 뿐만 아니라/면역력을 높여 주는 효과도 있어요.

07 🔊 버스가 흔들려서 넘어질 뻔했어요

듣고 말하기 | 1~3번 | 45쪽

마리: 주노 씨, 다리가 왜 그래요? 다쳤어요?

주노: 네. 어제 산책하다가 공사하는 곳에 세워 둔 나무 기둥에 걸려서 넘어졌어요.

마리: 정말요? 큰일 날 뻔했네요. 공사 중이라는 표지판이 없었나 봐요.

주노: 아니에요. 표지판이 있었는데 제가 휴대폰으로 영상을 보면서 걷느라고 못 봤어요.

마리: 길에서 휴대폰 보는 거 정말 위험하더라고요. 저도 며칠 전에 휴대폰 보면서 걷다가 자전거 타는 아이와 부딪칠 뻔했어요. 다행히 부딪치지는 않았지만 깜짝 놀랐어요. 아이도 놀란 것 같더라고요.

주노: 저도 어제 반성 많이 했어요. 정말 아무 때나 휴대폰으로 영상을 보면 안 될 것 같아요. 앞으로 길을 걸을 때는 주변을 잘 살피면서 걸으려고 해요.

마리: 그나저나 병원에는 갔다 왔어요? 의사 선생님이 뭐라고 하셨어요?

주노: 많이 다친 건 아니라서 삼사일 지나면 괜찮을 거래요.

마리: 그래도 다행이네요.

발음과 억양에 유의해서 다음 문장을 듣고 따라 해 보십시오.

휴대폰 보면서 걷다가/자전거 타는 아이와/부딪칠 뻔했어요.

---

08 🔊 가을이 되면 잘 익은 감이 주렁주렁 달렸다

안나: 이건 언제 찍은 사진이야? 꽤 오래된 사진 같은데?
유진: 오래됐지. 초등학교 때 가족 여행 가서 찍은 거니까 벌써 10년도 더 지났네.
안나: 집들이 꼭 동화책 속에 나오는 그림 같다. 여기가 어디야?
유진: 스위스의 작은 마을인데, 경치가 정말 아름다운 곳이었어. 이건 마을 뒤에 있는 언덕에서 찍은 사진인데, 여기에서 내려다보면 이렇게 마을이 한눈에 보여. 이 마을에서 잠을 잤는데 아홉 시가 되니까 등불이 꺼지고 마을 전체가 잠든 듯이 조용해지더라.
안나: 초등학교 때 갔던 곳인데 아직도 그렇게 자세하게 기억이 나?
유진: 응. 처음 간 해외여행이라서 그런지 집에 돌아온 후에도 계속 생각이 났어.
안나: 되게 좋았나 보다. 그런데 사진을 보니까 그 마음이 이해가 돼. 오래 기억될 만한 곳인 것 같아.

발음과 억양에 유의해서 다음 문장을 듣고 따라 해 보십시오.

등불이 꺼지고/마을 전체가/잠든 듯이 조용해지더라.

---

09 🔊 이번 주 방송 정말 볼 만하지 않았어?

진우: 민호야, 이거 봤어? 〈우리동네 맛집〉 전주 편.
민호: 응. 봤어. 전주에 맛있는 게 정말 많더라고. 처음 보는 음식도 있던데, 다 맛있을 것 같지 않아?
진우: 응. 방송에 나온 곳에 다 가 보고 싶어. 〈우리동네 맛집〉에 나오는 식당들은 에스엔에스(SNS)에 덜 알려진 곳이 많아서 더 신선한 것 같아.
민호: 맞아. 다른 방송에 나오는 맛집들하고 좀 달라. 그리고 음식만 소개하는 게 아니라 그 식당을 찾아오는 손님들의 이야기를 듣는 것도 재미있고.
진우: 사람들에게 위로를 주는 방송인 것 같아. 그 식당의 음식과 주변 경치, 그곳을 찾는 사람들을 보고 있으면 마음이 따뜻해져.
민호: 우리 다음 연휴 때 방송에 나온 곳에 직접 가 볼까? 이야기하다 보니까 더 가 보고 싶어졌어.
진우: 좋아. 민호야, 많이 먹을 수 있지?
민호: 먹는 건 걱정하지 마. 내가 얼마나 잘 먹는다고. 우리 다음 연휴 때 가 보자.

발음과 억양에 유의해서 다음 문장을 듣고 따라 해 보십시오.

처음 보는 음식도 있던데,/다 맛있을 것 같지 않아?

---

10 🔊 주인공이 책상 위를 보더니 깜짝 놀라서 무엇인가를 찾기 시작하는 거야

마리: 안나, 혹시 〈너와 나의 이야기〉라는 드라마 알아?
안나: 아, 그거 제목만 들어 봤어. 재미있다던데 어떤 내용이야?
마리: 남자 주인공이 다니고 있는 고등학교에 여자 주인공이 전학을 오는데, 두 사람은 서로를 보더니 첫눈에 반해.
안나: 아, 순수한 사랑 이야기구나.
마리: 응. 그런데 그게 다가 아니야. 제일 행복할 때 남자 주인공이 가족들과 같이 외국으로 가게 된 거야.
안나: 그럼 두 사람도 헤어져?
마리: 응. 그리고 헤어진 지 10년 만에 남자가 한국으로 돌아와. 그런데 돌아온 첫날 공항에서 두 사람이 우연히 마주친 거야.
안나: 운명적인 재회네. 그래서 그다음은 어떻게 돼?
마리: 결국은 행복하게 끝나지만 두 사람 사이에 오해도 생기고 여러 갈등도 겪게 되는데, 그걸 해결하는 과정이 재미있는 드라마야.

발음과 억양에 유의해서 다음 문장을 듣고 따라 해 보십시오.

제일 행복할 때/남자 주인공이/가족들과 같이/외국으로 가게 된 거야.

---

11 🔊 저는 춘천에 대해 소개하겠습니다

주노: 오늘은 역사의 도시 경주에 대해 소개해 드리겠습니다. 경주는 한국의 남동쪽에 위치한 도시입니다. 한국의 옛 왕조인 신라의 수도로서 유명한 곳이죠. 지금도 경주에는 신라 시대의 유적과 유물들이 도시 곳곳에 남아 있습니다. 그래서 사람들은 경주를 '지붕 없는 박물관'이라고 부르기도 합니다. 이렇게 경주는 관광 자원이 풍부한 도시입니다. 신라 시대 왕들의 무덤, 별을 관찰하기 위해 만들어진 첨성대, 신라 시대의 궁궐과 연못 등 많은 볼거리가 있죠. 그중에서 특히 관광객이 많이 찾는 곳이 불국사라는 절인데요. 불국사는 신라 시대 최고의 건축물이라고 할 수 있죠. 불국사에는 두 개의 탑이 있는데요. 장식이 없어서 깔끔한 느낌을 주는 석가탑, 화려하고 우아한 느낌을 주는 다보탑이 그것입니다. 다보탑은 한국의 10원짜리 동전에도 새겨져 있는 거 아시죠? 여러분, 이번 주말에는 경주에 와서 시내도 둘러보고 불국사도 방문해 보는 건 어떠세요?

듣고 말하기 │ 4번 │ 69쪽

발음과 억양에 유의해서 다음 문장을 듣고 따라 해 보십시오.

별을 관찰하기 위해 만들어진 첨성대,/신라 시대의 궁궐과 연못 등/많은 볼거리가 있죠.

12 🔊 한국에 대해 발표하고자 합니다

듣고 말하기 │ 1~3번 │ 75쪽

김유미: 안녕하세요? 〈출발! 세계 속으로〉의 김유미입니다. 오늘은 여러분들께 캥거루의 나라, 호주를 소개해 드리고자 합니다. 여행 작가 이경호 씨 나오셨습니다. 안녕하세요?

이경호: 반갑습니다. 이경호입니다.

김유미: 경호 씨는 여행 작가로서 많은 나라를 다녀오셨는데, 호주를 특별히 좋아하는 이유가 있으신가요?

이경호: 저는 아름다운 자연환경을 좋아합니다. 호주는 전 세계에서 여섯 번째로 면적이 넓지만, 인구가 적어서 오염되지 않은 자연환경으로 유명한 나라지요. 그래서 제가 가장 좋아하는 나라입니다.

김유미: 네. 그렇군요. 그런데 호주는 한국과 계절이 반대라고 들었습니다.

이경호: 네. 맞습니다. 한국이 여름일 때 호주는 겨울이고, 한국이 겨울일 때 호주는 여름입니다. 그래서 더운 여름에 크리스마스를 즐기는 색다른 모습도 볼 수 있지요.

김유미: 여름에 맞이하는 크리스마스, 기분이 새로울 것 같습니다. 그럼 지금부터 이경호 작가님이 준비한 아름다운 호주의 풍경을 만나 보겠습니다.

듣고 말하기 │ 4번 │ 75쪽

발음과 억양에 유의해서 다음 문장을 듣고 따라 해 보십시오.

호주는/전 세계에서/여섯 번째로 면적이 넓습니다.

모범 답안 4A

대화 속 문법 | 1번 | 7쪽

2) 하루 종일 잠을 잤으면 해요.
3) 이번 회사는 복지가 좋았으면 해요.
4) 유학 간 친구가 건강했으면 해요.
5) 내일 볼 영화가 감동적이었으면 해요.
6) 입학시험이 쉬웠으면 해요.
7) 친구가 결혼식에 왔으면 해요.

대화 속 문법 | 2번 | 7쪽

1) 한 번쯤은 개인 방송 채널을 만들어 봤으면 해요
2) 내일은 바람이 안 불고 날씨가 포근했으면 해요
3) 이번 주는 바빠서 기말고사가 다음 주였으면 해요
4) 내가 살 집은 내가 직접 지었으면 해요

대화 속 문법 | 3번 | 7쪽

[예시]
1) 전공 공부를 지금보다 더 잘했으면 해요
2) 이번에 신청한 수업이 흥미로웠으면 해요
3) 친구 할아버지께서 많이 편찮으신 것이 아니었으면 해요
4) 키우는 강아지가 제 말을 잘 들었으면 해요

어휘와 표현 | 1번 | 8쪽

1) 내가 살 집 짓기
2) 외국에서 한 달 살기
3) 캠핑카 여행
4) 개인 방송 채널 만들기
5) 패러글라이딩

어휘와 표현 | 2번 | 8쪽

1) 세계 일주이다.
2) 캠핑카 여행
3) 패러글라이딩을
4) 한 달 살기를
5) 세계의 맛있는 음식을 다 먹어 보는

듣고 말하기 | 1번 | 9쪽

친구 네 명이 같이 캠핑카 여행을 하는 내용

듣고 말하기 | 2번 | 9쪽

1) 친구 네 명이 같이 캠핑카 여행을 하는 내용이야
2) 여행도 하고 친구들이랑 추억도 쌓고
3) 친구들과 같이 이런 여행을 한번 가 봤으면 해
4) 기회가 된다면 꼭 해 보고 싶었거든
5) 커피 마시면서 이야기를 나누는 거야

---

01 ✏️ 여건이 된다면 외국에서 1년쯤 살아 봤으면 해요

문법 | 1번 | 6쪽

2) 장학금을 받는다면
3) 돈을 많이 번다면
4) 농구 선수가 키가 작다면
5) 한여름에도 날씨가 선선하다면
6) 인터넷이 없다면
7) 영화 속 주인공이 된다면

문법 | 2번 | 6쪽

1) 만약에 세계 일주를 한다면 세계의 맛있는 음식을 다 먹어 보고 싶다
2) 만약에 내 목이 기린같이 길다면 콘서트를 편하게 관람할 수 있을 것이다
3) 만약에 우주를 여행할 수 있다면 달에 가 볼 것이다
4) 만약에 네가 꽃이 된다면 나는 한 마리 나비가 되고 싶다

문법 | 3번 | 6쪽

[예시]
1) 소설 속 주인공을 만난다면
2) 내일 한국에 도착하면
3) 지금 도로에 있으면
4) 고양이가 된다면

1) ④
2) ②

[예시]

　한 시골 마을의 초등학교에 80대 할머니 4명이 입학했다. 이 할머니들은 학교에 다니면서 공부하는 것이 평생소원이었는데, 드디어 그 소원을 이룰 수 있게 되었다. 3월 2일 입학식에 참석한 할머니들은 기쁜 표정으로 학교와 선생님들께 감사드린다고 말했다. 재학생들은 할머니들의 도전에 응원의 박수를 보냈고, 학교 선생님들은 할머니들께 책가방을 선물했다. 할머니들은 "빨리 글자를 배워서 책도 읽고 핸드폰 문자 메시지도 보낼 수 있었으면 한다."라고 말했다.

1) 학교에 다니면서 공부하는 것이 평생소원이었는데
2) 입학식에 참석한 할머니들은 기쁜 표정을 감추지 못했다
3) 할머니들의 용기 있는 도전에 응원의 박수를 보냈다
4) 읽고 쓰는 법을 배운다면 생활이 훨씬 편리해질 것 같다
5) 휴대폰 문자 메시지도 보낼 수 있었으면 한다

 02 한 번쯤 가 볼 만한 곳이야

2) 요즘은 그럭저럭 지낼 만해요.
3) 이 옷은 조금 작지만 입을 만해요.
4) 내 친구는 대회에서 상을 받을 만해요.
5) 그 콘서트는 표가 매진될 만해요.
6) 지금은 혼자 살 만해요.
7) 이 탁자는 무겁지만 들 만해요.

1) 경주박물관은 볼거리가 많아서 관람할 만해요
2) 이 구두는 굽은 높지만 걸을 때 편해서 신을 만해요
3) 이 책은 내용이 어렵지 않아서 가볍게 읽을 만해요
4) 떡국은 재료가 간단해서 집에서 만들 만해요

[예시]
1) 요즘은 입을 만한 옷이 없어요
2) 영화관에 볼 만한 영화가 별로 없어요
3) 우리 동네에 구경할 만한 곳이 많아요
4) 이야기를 나눌 만한 카페를 찾았어요

1) 사람들이 제주도 여행을 많이 가던데 우리도 한번 가 볼까요
2) 요즘 안나 씨가 바쁘던데 무슨 일이 있나 봐요
3) 이 옷은 팔에 얼룩이 있던데 새것으로 주세요
4) 다음 주 월요일이 어버이날이던데 부모님 선물은 준비했어요
5) 한국어 실력이 많이 늘었던데 공부 방법 좀 알려 주세요

[예시]
1) 낙산공원이 구경할 만하던데 가 보세요
2) 이번에 새로 나온 노래가 좋던데 들어 봤어요
3) 이 영화는 별로던데 다른 것을 보세요
4) 어제 정장을 입었던데 무슨 일 있었어요

1) 색다르다
2) 현대적이다
3) 이국적이다
4) 활기가 넘치다
5) 신기하다

1) 역사가 깊은
2) 여유로운
3) 촬영지로도 유명하다
4) 전망이 좋아서
5) 낭만적인

1) 호주 멜버른
2) 퀸 빅토리아 시장

1) 멜버른에서는 어디가 갈 만해요
2) 활기 넘치는 시장의 모습을 보는 것이
3) 식물원도 있다고 하던데 거기도 가 봤어요
4) 여유롭게 산책할 수 있어서 참 좋았어요
5) 한 번 가 볼 만한 곳이에요

1) ④
2) ① 1, ② 2, ③ 1, ④ 2

[예시]

　우리 동네에서 내가 가장 좋아하는 곳은 공원이다. 우리 동네에는 큰 공원이 두 개 있는데 첫 번째 공원은 호수와 넓은 잔디밭이 있는 공원이다. 그 공원은 볼거리도 많고 여유로운 시간을 보내기에도 좋다. 두 번째 공원은 높은 곳에 있고 나무가 많다. 나는 운동을 하고 싶을 때 그 공원에 간다. 공원에 올라가는 것이 힘들지만 올라가서 전망을 보면 마음이 시원해진다.

쓰기 | 2번 | 17쪽

1) 내가 가장 좋아하는 곳은 바로 공원이다
2) 여유로운 시간을 보내기에도 좋다
3) 이국적인 식당들도 많이 있어서 데이트를 할 때도 갈 만하다
4) 시내가 한눈에 보일 정도로 전망이 좋다
5) 올라가다 보면 숨이 차지만 상쾌한 기분을 느낄 수 있다

 03 ✎　드디어 새 앨범이 나온대

문법 | 1번 | 18쪽

2) 공원에서 콘서트가 열린대요.
3) 경주는 역사가 깊대요.
4) 태국은 겨울에도 따뜻하대요.
5) 두바이는 현대적이래요.
6) 세계 일주가 버킷 리스트(bucket list)래요.
7) 한국에 취직할 거래요.

문법 | 2번 | 18쪽

1) 얼마 전에 시온의 신곡이 나왔대요
2) 동대문에서는 싸고 좋은 물건을 판대요
3) 그 식당은 조용하고 분위기가 좋대요
4) 유진 씨가 지금 병원에 있대요

문법 | 3번 | 18쪽

1) 오늘 날씨가 어제보다 흐리대요
2) 이건 안나 씨의 가방이 아니래요
3) 작년에 전 재산 100억 원을 과학대학교에 기부했대요
4) 민수 씨가 다음 달에 결혼한대요

대화 속 문법 | 1번 | 19쪽

2) 한국은 여름에 덥냬요.
3) 다시 생각해 봤냬요.
4) 아침은 꼭 드시래요.
5) 속초에 가 보래요.
6) 내일 같이 등산 가재요.
7) 같이 봉사 활동을 하재요.

대화 속 문법 | 2번 | 19쪽

1) 유학 생활은 어떠냬요
2) 환경 보호를 위해서 기부하래요
3) 여기에서 사진을 같이 찍재요
4) 한국으로 유학 가면 세 명이서 같이 살재요

대화 속 문법 | 3번 | 19쪽

[예시]

1) 이 드라마가 인기를 끌 것 같냬요
2) 스트레스를 받으면 일상에서 벗어나 보래요
3) 나이가 들면 사회에 모두 기부하재요
4) 영화제에서 수상한 영화를 보재요

어휘와 표현 | 1번 | 20쪽

1) 콘서트가 열리다
2) 기부하다
3) 경제가 발전하다
4) 수상하다
5) 영화가 개봉하다

어휘와 표현 | 2번 | 20쪽

1) 개봉한다
2) 수상하며
3) 해외에 진출해서
4) 유행하고
5) 흥행에 성공할

듣고 말하기 | 1번 | 21쪽

1) ③

듣고 말하기 | 2번 | 21쪽

1) 외국의 유명 영화제에서 연기상을 받았대
2) 다른 나라 배우가 연기상을 수상한 건 이번이 처음이래
3) 영화가 개봉했을 때 시험 기간이라서 못 봤거든
4) 마리가 영화관에 가서 봤는데 가족의 사랑을 그린 따뜻한 영화였대
5) 이번에 상 받은 기념으로 영화관에서 다시 상영을 한대

읽기 | 1번 | 22쪽

1) ③
2) ④

쓰기 | 1번 | 23쪽

[예시]

　최근 한강산업이 직접 만들어 먹을 수 있는 막걸리를 개발했다. 그 막걸리는 재료에 물을 넣고 일주일만 기다리면 완성된다. 한강산업에서

만드는 막걸리는 국내와 해외에서 모두 인기가 많다. 한강산업은 2016년에 과일 막걸리로 해외에 진출하였는데 외국의 젊은이들에게서 반응이 좋았다. 이번에 개발한 만들어 먹는 막걸리도 해외에서 그 인기를 이어 가기를 기대하고 있다.

쓰기 | 2번 | 23쪽

1) 직접 만들어 먹을 수 있는 막걸리를 개발했다
2) 만들어 먹고 싶은 분들에게 추천하고 싶어요
3) 국내와 해외에서 모두 인기가 많다
4) 과일 막걸리를 수출하면서 처음으로 해외에 진출하였다
5) 해외 시장에서 막걸리의 인기가 이어지기를 기대하고 있다

 04  폭설로 인해서 많은 피해가 발생하고 있습니다

문법 | 1번 | 24쪽

2) 환경 오염으로 인해서
3) 어제부터 내린 폭설로 인해서
4) 기업의 해외 진출로 인해서
5) 게임 중독으로 인해서
6) 밤길 교통사고로 인해서
7) 무더운 날씨로 인해서

문법 | 2번 | 24쪽

1) 큰 산불로 인해서 동물들이 살 곳을 잃었다
2) 큰 폭발로 인해서 많은 부상자와 사망자가 발생하였다
3) 심한 추위로 인해서 도로가 얼어 교통 상황이 좋지 않다
4) 도시의 비싼 물가로 인해서 시골로 이사 가는 사람들이 늘어났다

문법 | 3번 | 24쪽

[예시]
1) 가뭄으로 인해서 물고기가 죽는 피해가 발생하였다
2) 스트레스로 인해서 두통이 생겨서 신경이 날카로워졌다
3) 일회용품 사용으로 인해서 환경 오염이 심각해졌다
4) 전쟁으로 인해서 경제가 어려워졌다

대화 속 문법 | 1번 | 25쪽

2) 담배를 끊으면서
3) 한국 드라마를 보면서
4) 야식을 즐기면서
5) 한국어 수업을 들으면서
6) 사람들을 도우면서
7) 집을 지으면서

대화 속 문법 | 2번 | 25쪽

1) 강한 비바람이 불면서 항공기 운항이 취소되었다
2) 봄이 오면서 공원에 사람들이 많아졌다
3) 밤마다 운동장을 걸으면서 건강을 되찾았다
4) 새가 집 뒤에 새집을 지으면서 아침마다 새 소리가 들렸다

대화 속 문법 | 3번 | 25쪽

1) 세종학당에 다니면서 한국어 실력이 좋아졌다
2) 스트레스가 많아지면서 점점 우울해졌다
3) 영화제에서 상을 받으면서 흥행에 성공하였다
4) 가수 시온을 좋아하면서 한국어 공부를 열심히 하게 되었다

어휘와 표현 | 1번 | 26쪽

사건, 사고	사건 사고의 결과
홍수, 산사태, 폭우, 전염병, 가뭄, 폭발	피해, 실종, 부상, 사망

어휘와 표현 | 2번 | 26쪽

1) 가뭄
2) 산사태가
3) 사망자는
4) 다쳐서
5) 실종된

듣고 말하기 | 1번 | 27쪽

휴대폰을 보면서 걸어가는 사람이 갑자기 도로로 나와서 피하다가 자동차와 부딪쳤다.

듣고 말하기 | 2번 | 27쪽

1) 자전거 사고가 났다고 들었어요
2) 휴대폰을 보면서 걸어가는 사람이 갑자기 도로로 나와서 피하다가 자동차와 부딪쳤어요
3) 사고로 인해 다리가 아파서 주말에 병원에서 검사를 받았어요
4) 사고가 나면 며칠 후에 아플 수도 있대요
5) 푹 쉬면서 건강을 회복할게요

읽기 | 1번 | 28쪽

1) ③   2) ②

쓰기 | 1번 | 29쪽

[예시]
　지진이 발생해서 건물이 흔들리면 책상 아래로 들어가야 한다. 건물 밖으로 대피를 할 때에는 엘리베이터 대신 계단을 이용해야 한다. 또한 대피를 할 때에는 공원이나 운동장처럼 넓은 장소로 가야 하며, 위에서 떨어지는 물건 때문에 다치지 않도록 가방이나 손으로 머리를 보호하면서 걸어야 한다. 지진이 났을 때 피해를 입지 않도록 대피 방법을 잘 아는 것이 중요하다.

쓰기 | 2번 | 29쪽

1) 지진으로 인해 큰 피해가 발생하고 있다
2) 건물이 흔들리면서 무너지고
3) 전기가 중단되면 엘리베이터가 멈출 수 있기 때문이다
4) 머리를 보호하면서 걷는 것이 중요하다
5) 피해를 입지 않도록 대피 방법을 잘 아는 것이 중요하다

05 ✏️ 어떤 앱을 주로 사용하냐면요

문법 | 1번 | 30쪽

1) 한국 여행 정보를 어디서 찾냐면 주로 한국관광공사 홈페이지에서 찾아요
2) 한국어를 공부할 때 어느 부분이 어렵냐면 발음이 어려워요
3) 등산할 때 뭐가 필요하냐면 우선 등산화가 꼭 필요해요
4) 저번에 장학금을 받은 사람이 누구였냐면 안나 씨였어요
5) 부모님이 무엇을 좋아하시냐면 늦은 오후에 커피 마시는 것을 좋아하세요

문법 | 2번 | 30쪽

[예시]
1) 어떻게 파일 첨부를 하냐면 보낼 파일을 메일에 업로드하면 돼요
2) 어떻게 댓글을 다냐면 로그인을 한 후에 여기에 글을 쓰면 돼요
3) 왜 제주도가 좋냐면 이국적이고 자연환경이 아름다워서 좋아요
4) 수업 후에 어느 식당에 갈 거냐면 세종식당에 갈 거예요

대화 속 문법 | 1번 | 31쪽

1) 인터넷 속도가 느려서 동영상을 내려받기가 어렵다
2) 한국어 온라인 과정이 있어서 한국어 수업을 듣기가 쉽다
3) 수학 문제가 너무 어려워서 문제를 풀기가 힘들다
4) 지도 앱이 있어서 처음 가는 식당을 찾기가 쉽다
5) 컴퓨터를 잘 못해서 회사에서 일하기가 어렵다

대화 속 문법 | 2번 | 31쪽

1) 고르기가 편해서
2) 사고 나기가 쉬워요
3) 이해하기가 어려워서
4) 보기 힘들어요

어휘와 표현 | 1번 | 32쪽

1) 복사하다
2) 다운 받다
3) 파일을 첨부하다
4) 사이트에 가입하다
5) 붙여 넣다

어휘와 표현 | 2번 | 32쪽

1) 깐
2) 아이디를 만들면
3) 업로드하면
4) 댓글을 달면서
5) 검색해서

듣고 말하기 | 1번 | 33쪽

집을 꾸밀 때 도움을 받을 수 있는 앱

듣고 말하기 | 2번 | 33쪽

1) 집을 꾸미기가 너무 어려워요
2) 앱에서 도움을 많이 받았는데 소개해 줄까요
3) 어떤 앱이냐면 바로 '우리집'이라는 앱이에요
4) 집을 꾸미다가 궁금한 게 있으면 물어볼 수도 있어요
5) 지금 당장 설치해야겠네요

읽기 | 1번 | 34쪽

1) ③　　　　　　　　2) ③

쓰기 | 1번 | 35쪽

[예시]

　이번 달에 발표된 사진 꾸미기 앱에 대한 조사에서 '예쁨 플러스' 앱이 1위를 차지했다. 이 앱은 얼굴 색깔을 조절할 수 있고, 스티커를 붙이거나, 글씨를 쓸 수도 있어서 사진을 꾸미기가 쉽다는 장점이 있다. 2위는 '마술사진' 앱으로 사람의 얼굴을 고양이나 토끼 얼굴로 바꾸기도 하고, 사진을 만화처럼 바꿀 수도 있다. 마지막으로 3위는 '최강사진' 앱으로 여러 장의 사진을 한 장으로 합치거나 동영상을 만들기 쉽다는 장점이 있지만, 배경을 바꾸기가 어렵다는 단점이 있다.

쓰기 | 2번 | 35쪽

1) 사진 꾸미기 앱을 다운 받는 사람들이 많아지고 있다
2) 사진을 꾸미기가 쉽다는 장점이 있다
3) 에스엔에스(SNS)에 쉽게 올릴 수 있어서 인기가 많다
4) 여러 장의 사진을 한 장으로 합치거나
5) 배경을 바꾸기가 어렵고

06 ✏️ 마늘은 면역력을 높여 줄 뿐만 아니라 암 예방에도 좋습니다

문법 | 1번 | 36쪽

2) 성장 가능성이 클 뿐만 아니라
3) 평소에 책을 많이 읽을 뿐만 아니라
4) 한국 노래를 자주 들을 뿐만 아니라
5) 회의실이 좁을 뿐만 아니라

4A ── 모범 답안

6) 음식을 잘 만들 뿐만 아니라
7) 성격이 밝고 긍정적일 뿐만 아니라

문법 | 2번 | 36쪽

1) 두부는 맛있을 뿐만 아니라 건강에도 좋다
2) 이 옷은 디자인이 예쁠 뿐만 아니라 가격도 싸다
3) 날씨가 추울 뿐만 아니라 바람도 심하게 분다
4) 새로 구한 아르바이트는 일이 힘들 뿐만 아니라 시급도 낮다

문법 | 3번 | 36쪽

[예시]
1) 견과류는 심장 건강에 좋을 뿐만 아니라 두뇌 발달에도 효과적이다
2) 양배추는 소화를 도와줄 뿐만 아니라 피부 건강에도 좋다
3) 이진호 선수는 재능이 많을 뿐만 아니라 꾸준히 노력하는 선수이다
4) 서울은 한국의 수도일 뿐만 아니라 세계적인 관광 도시이다

대화 속 문법 | 1번 | 37쪽

1) 동생을 앞자리에 앉게 했어요
2) 아르바이트생을 잠깐 쉬게 했어요
3) 친구를 한참 동안 기다리게 했어요
4) 유나에게 창문을 열게 했어요
5) 민호에게 영상을 찍게 했어요

대화 속 문법 | 2번 | 37쪽

1) 사진을 못 보게 했어요
2) 한국어 발음을 잘하게 되었어요
3) 추억을 떠올리게 해요
4) 자주 못 만나게 되었어요

어휘와 표현 | 1번 | 38쪽

1) 체력을 보충하다
2) 시력을 보호하다
3) 소화가 잘되다
4) 면역력을 높이다
5) 기억력을 향상시키다

어휘와 표현 | 2번 | 38쪽

1) 피로 회복
2) 풍부하게
3) 시력 보호
4) 면역력을 높이는
5) 암을 예방할

듣고 말하기 | 1번 | 39쪽

전보다 과일을 자주 먹고 있다.

듣고 말하기 | 2번 | 39쪽

1) 땀도 많이 흘리니까 체력이 떨어지는 것 같아요
2) 가만히 있으면 안 되고 건강에 더 신경 써야 돼요
3) 전 요즘 음식을 잘 챙겨 먹으려고 노력 중이에요
4) 과일만 잘 먹어도 체력 보충에 훨씬 도움이 돼요
5) 피로 회복에 좋을 뿐만 아니라 면역력을 높여 주는 효과도 있어요

읽기 | 1번 | 40쪽

1) ①   2) ③

쓰기 | 1번 | 41쪽

[예시]
　'배추'는 다양한 효과를 가진 건강식품이다. 배추는 소화가 잘되게 돕고 감기 예방에도 효과적이다. 암을 예방하는 음식으로도 잘 알려진 배추는 뼈를 튼튼하게 할 뿐만 아니라 시력을 보호하는 효과도 있다. 배추를 고를 때는 무겁고 단단한 것, 겉잎이 초록색이고 두껍지 않은 것을 고르는 것이 좋다. 그리고 국을 끓일 때는 영양이 풍부한 뿌리를 넣는 것이 좋고 두부와 함께 요리해서 먹으면 부족한 단백질을 보충할 수 있다.

쓰기 | 2번 | 41쪽

1) 소화가 잘 되게 돕고 비타민 C가 풍부해 감기 예방에도 효과적이다
2) 칼슘이 풍부해 뼈를 튼튼하게 할 뿐만 아니라
3) 눈의 피로를 풀어 주고 시력을 보호하는 효과도 있다
4) 국을 끓일 때는 뿌리 부분을 넣는 것이 좋다
5) 두부와 함께 요리해서 먹으면 부족한 단백질을 보충할 수 있어

07 ✏️　버스가 흔들려서 넘어질 뻔했어요

문법 | 1번 | 42쪽

2) 점심을 못 먹을 뻔했어요.
3) 좋아하는 일을 포기할 뻔했어요.
4) 잘 몰라서 실수할 뻔했어요.
5) 넘어져서 울 뻔했어요.
6) 다리가 아파서 못 걸을 뻔했어요.
7) 집을 못 지을 뻔했어요.

문법 | 2번 | 42쪽

1) 식당에 늦게 가서 점심을 못 먹을 뻔했어요
2) 회의가 늦게 끝나서 중요한 전화를 못 받을 뻔했어요
3) 자전거를 너무 빨리 타서 사람하고 부딪칠 뻔했어요
4) 신청을 늦게 해서 기숙사에서 못 살 뻔했어요

문법 | 3번 | 42쪽

1) 시험이 어려워서 문제를 다 못 풀 뻔했어요
2) 주변이 시끄러워서 안내 방송을 못 들을 뻔했어요

3) 마지막에 상대 팀이 실수하지 않았으면 우리 팀이 질 뻔했어요
4) 친구를 너무 오랜만에 만나서 못 알아볼 뻔했어요

대화 속 문법 1번 43쪽

2) 아무 소식이나
3) 아무 영화나
4) 아무거나
5) 아무 때나
6) 아무 곳이나/데나
7) 아무 사람이나

대화 속 문법 2번 43쪽

1) 시상식에서 아무 말이나 했다가는 후회할 거예요
2) 이번 행사에는 아무나 참여할 수 있어요
3) 식사 시간이 정해져 있어서 아무 때나 먹을 수는 없어요
4) 제가 보기에는 다 비슷하니까 아무 거나 괜찮아요

대화 속 문법 3번 43쪽

[예시]
1) 오늘은 시간이 많으니까 아무 때나 전화하세요
2) 지금 급하니까 아무 볼펜이나 좀 빌려주세요
3) 배가 고프니까 아무 가게나 들어가요
4) 아무 일이나 하지 말고 좋아하는 일을 하세요

어휘와 표현 1번 42쪽

좋은 경험	나쁜 경험
자랑스럽다	창피하다
보람을 느끼다	얼굴을 들 수가 없다
	당황스럽다

어휘와 표현 2번 44쪽

1) 깜짝 놀라서
2) 창피해서
3) 얼굴을 들 수가 없었다
4) 얼굴이 빨개진

듣고 말하기 1번 45쪽

휴대폰으로 영상을 보면서 걷느라고 표지판을 못 봤다.

듣고 말하기 2번 45쪽

1) 나무 기둥에 걸려서 넘어졌어요
2) 정말요? 큰일 날 뻔했네요
3) 휴대폰으로 영상을 보면서 걷느라고 못 봤어요
4) 자전거 타는 아이와 부딪칠 뻔했어요
5) 정말 아무 때나 휴대폰으로 영상을 보면 안 될 것 같아요

읽기 1번 46쪽

1) ④   2) ④

쓰기 1번 47쪽

[예시]
　중학교 3학년 때 마라톤 대회에 참가한 적이 있다. 그때 나는 키도 빨리 크고 몸도 튼튼해지고 싶어서 달리기 운동을 시작했다. 내가 운동하는 것을 본 아버지께서 마라톤 대회에 나가 보라고 말씀하셨다. 마라톤 대회에 참가 신청을 한 후부터 더 열심히 달리기 연습을 했다. 드디어 마라톤 대회 날이 되었다. 나는 처음에는 앞에서 달리기 시작했지만 중간 정도부터는 맨 끝에서 달렸다. 그래도 한 번도 쉬지 않고 끝까지 달렸고 마지막까지 포기하지 않은 나 자신이 자랑스럽게 느껴졌다.

쓰기 2번 47쪽

1) 아무 데나 주저앉아서 한참 동안 쉬었다
2) 달리기 연습을 하다가 토할 뻔한 적도 있었다
3) 맨 앞에서 달리기 시작했다
4) 다리에 힘이 풀려서 넘어질 뻔했다
5) 포기하지 않은 나 자신이 자랑스럽게 느껴졌다

08 가을이 되면 잘 익은 감이 주렁주렁 달렸다

문법 1번 48쪽

2) 아기가 울 듯이
3) 기분이 좋은 듯이
4) 다리가 아픈 듯이
5) 아무 일도 없는 듯이
6) 꽃을 본 듯이
7) 물이 넘칠 듯이

문법 2번 48쪽

1) 그 사람은 그런 이야기를 처음 듣는 듯이 놀랐다
2) 아이들은 즐거운 듯이 바닷가를 뛰어다니고 있었다
3) 갑자기 사람들이 모두 사라진 듯이 조용해졌다
4) 하늘이 맑아서 남산이 손에 잡힐 듯이 가깝게 보였다

문법 3번 48쪽

[예시]
1) 그는 선생님을 잘 아는 듯이 이야기했다
2) 어머니는 속이 시원한 듯이 소리 내서 웃었다
3) 그 친구는 나를 못 본 듯이 그냥 지나갔다
4) 오늘은 날씨가 봄이 온 듯이 따뜻하다

대화 속 문법 | 1번 | 49쪽

1) 팔렸다　　　　　　　2) 닫혀서
3) 쫓겼다　　　　　　　4) 감겨서

대화 속 문법 | 2번 | 49쪽

1) 빵을 만들 때는 버터가 주로 쓰인다
2) 명절에 고향에 내려가는 사람들이 많아서 길이 막힌다
3) 매년 부산에서는 다양한 영화를 볼 수 있는 축제가 열린다
4) 가슴이 찡해지는 목소리 때문에 시온에게 마음이 빼앗겼다

어휘와 표현 | 1번 | 50쪽

풍경	풍경을 본 감상
사람들로 붐비다	그림 같다
산으로 둘러싸여 있다	인상적이다
푸른 들이 펼쳐져 있다	신기하다
고층 빌딩이 늘어서 있다	잊히지 않다

어휘와 표현 | 2번 | 50쪽

1) 고층 빌딩이 늘어서 있는
2) 산으로 둘러싸여 있기
3) 인상적이었다
4) 그림같이
5) 좁은 골목이 이어져 있는데

듣고 말하기 | 1번 | 51쪽

스위스의 작은 마을 뒤에 있는 언덕

듣고 말하기 | 2번 | 51쪽

1) 집들이 꼭 동화책 속에 나오는 그림 같다
2) 여기에서 내려다보면 이렇게 마을이 한눈에 보여
3) 등불이 꺼지고 마을 전체가 잠든 듯이 조용해지더라
4) 처음 간 해외여행이라서 그런지 집에 돌아온 후에도 계속 생각이 났어
5) 오래 기억될 만한 곳인 것 같아

읽기 | 1번 | 52쪽

1) ④　　　　　　　　　2) ①

쓰기 | 1번 | 53쪽

[예시]
　나는 강원도 홍천의 시골에서 초등학교 6학년 때까지 살았다. 집에서 초등학교까지는 걸어서 20분 정도 걸렸다. 좀 먼 거리였지만 학교 가는 길은 언제나 즐거웠다. 길에는 꽃들이 그림을 그린 듯이 아름답게 피어 있었고 길옆에는 푸른 들이 펼쳐져 있었다. 그리고 반대쪽에는 울퉁불퉁한 바위들 사이로 작은 강이 흐르고 있었다. 학교가 끝나고 집으

로 오는 길에 가끔 강에서 물고기를 잡으면서 놀았다. 그 시절의 추억들은 나에게 너무나 소중한 기억으로 남아 있다.

쓰기 | 2번 | 53쪽

1) 산으로 둘러싸여 있는 작은 마을이었다
2) 꽃들이 그림을 그린 듯이 아름답게 피어 있었다
3) 길옆에는 푸른 들이 펼쳐져 있었다
4) 강물은 항상 음악을 연주하는 듯이 졸졸 소리를 냈다
5) 추억들은 나에게 너무나 소중한 기억으로 남아 있다

09 ✎　이번 주 방송 정말 볼 만하지 않았어?

문법 | 1번 | 54쪽

1) 여기 경치가 정말 아름답지 않아요
2) 그곳은 언제나 활기가 넘치지 않아요
3) 오늘 안나가 많이 피곤한 것 같지 않아요
4) 어제 읽은 책 정말 감동적이지 않아요
5) 이 영화는 정말 작품상을 수상할 만하지 않아요

문법 | 2번 | 54쪽

[예시]
1) 프랑스 파리는 야경이 정말 낭만적이지 않아요
2) 지하철역이 가까워서 출퇴근하기 편하지 않아요
3) 요즘은 날씨가 봄이 아니라 겨울인 것 같지 않아요
4) 시계 소리가 너무 커서 집중이 안 되지 않아요

대화 속 문법 | 1번 | 55쪽

2) 얼마나 음식을 빨리 만든다고요.
3) 얼마나 많은 사람들이 좋아한다고요.
4) 얼마나 분위기가 이국적이라고요.
5) 얼마나 선물을 많이 받았다고요.
6) 얼마나 스스로가 자랑스러웠다고요.
7) 얼마나 큰 힘이 되었다고요.

대화 속 문법 | 2번 | 55쪽

[예시]
1) 그 방송에 출연하는 가수들이 얼마나 노래를 잘한다고요
2) 비빔밥이 얼마나 만들기 쉽다고요
3) 그 책을 통해서 얼마나 위로를 많이 받았다고요
4) 요즘 다이어트를 하려고 얼마나 많이 걷는다고요

대화 속 문법 | 3번 | 55쪽

[예시]
1) 마리 씨는 한국 노래를 얼마나 자주 듣는다고요
2) 해리 씨는 케이크를 얼마나 잘 만든다고요

3) 집이 학교에서 얼마나 가깝다고요
4) 그 드라마의 마지막 장면이 얼마나 멋있었다고요

어휘와 표현 | 1번 | 56쪽

1) 교훈을 주다
2) 식상하다
3) 신선하다
4) 공감이 가다
5) 상식을 쌓다

어휘와 표현 | 2번 | 56쪽

1) 영향력이 매우 크다
2) 위로를 주기도
3) 좋은 정보를 알려 주기도
4) 사회를 반영해
5) 자극적인

듣고 말하기 | 1번 | 57쪽

동네에 있는 진짜 맛집을 찾아다니는 방송

듣고 말하기 | 2번 | 57쪽

1) 처음 보는 음식도 있던데, 다 맛있을 것 같지 않아
2) 에스엔에스(SNS)에 덜 알려진 곳이 많아서 더 신선한 것 같아
3) 사람들에게 위로를 주는 방송인 것 같아
4) 우리 다음 연휴 때 방송에 나온 곳에 직접 가 볼까
5) 내가 얼마나 잘 먹는다고

읽기 | 1번 | 58쪽

1) ③   2) ②

쓰기 | 1번 | 59쪽

[예시]

　목요일 저녁 8시에 하는 〈문제다, 문제!!〉는 다양한 분야의 문제를 풀면서 상식을 쌓을 수 있는 교양 예능 프로그램이다. 열 명의 스타가 출연해 1등 상금을 놓고 뜨거운 퀴즈 대결을 펼친다. 힌트를 얻기 위한 재미있는 게임과 특별 공연도 준비되어 있어 매주 시청자들에게 건강한 웃음을 전달한다.

쓰기 | 2번 | 59쪽

1) 다양한 분야의 문제를 풀면서 상식을 쌓을 수 있는 교양 예능 프로그램
2) 뜨거운 퀴즈 대결을 펼친다
3) 시청자들에게 건강한 웃음을 전달한다
4) 계속 똑같은 것만 하니까 좀 식상해요
5) 하나도 못 맞혀서 얼마나 창피했다고요

10 ✎　주인공이 책상 위를 보더니 깜짝 놀라서 무엇인가를 찾기 시작하는 거야

문법 | 1번 | 60쪽

1) 주인공이 전화를 받더니 갑자기 뛰기 시작했어요
2) 안나가 남자 친구와 헤어지더니 학교에 계속 안 나와요
3) 어젯밤에 비바람이 세게 불더니 나무가 쓰러졌어요
4) 기온이 계속 떨어지더니 강이 꽁꽁 얼었어요
5) 제 친구는 건강이 안 좋아지더니 운동을 시작했어요

문법 | 2번 | 60쪽

[예시]

1) 민호 씨는 꽃을 사더니 어머니께 가져다 드렸어요
2) 재민 씨는 한 시간 넘게 걷더니 자리에 주저앉았어요
3) 제 친구는 야식을 끊더니 다이어트에 성공했어요
4) 어제 비가 많이 오더니 다리가 물에 잠겼어요

대화 속 문법 | 1번 | 61쪽

2) 한국어 발음이 너무 좋은 거예요.
3) 라디오를 매일 듣는 거예요.
4) 숙박비가 너무 비싼 거예요.
5) 그 도시에 대해 너무 잘 아는 거예요.
6) 며칠 동안 계속 밥을 안 먹는 거예요.
7) 돈을 다 쓰는 거예요.

대화 속 문법 | 2번 | 61쪽

1) 친구가 갑자기 문을 세게 닫는 거예요
2) 불고기를 만드는 게 생각보다 너무 쉬운 거예요
3) 저도 배가 고픈데 동생이 라면을 한 개만 끓인 거예요
4) 너무 피곤해서 침대에 눕자마자 잠이 든 거예요

대화 속 문법 | 3번 | 61쪽

[예시]

1) 어제 영화 〈지하세계〉를 봤는데 내용이 너무 현실적인 거예요
2) 유진 씨의 마음을 이해하려고 노력했는데 도저히 이해가 안 되는 거예요
3) 자전거를 타고 한강공원에 갔는데 경치가 너무 아름다운 거예요
4) 쉬는 시간에 잠깐 졸았는데 공연이 다 끝나 버린 거예요

어휘와 표현 | 1번 | 62쪽

1) 반전이 있다   2) 도망치다
3) 재회하다   4) 사라지다
5) 범인을 쫓다

4A —— 모범 답안

1) 사라지고
2) 새로운 인물이 등장한다
3) 우연히 마주친
4) 갈등을 겪지만
5) 행복한 결말을 맺는다

고등학교 때 만난 첫사랑과의 운명적인 재회와 사랑을 그린 드라마

1) 두 사람은 서로를 보더니 첫눈에 반해
2) 남자 주인공이 가족들과 같이 외국으로 가게 된 거야
3) 돌아온 첫날 공항에서 두 사람이 우연히 마주친 거야
4) 운명적인 재회네
5) 두 사람 사이에 오해도 생기고 여러 갈등도 겪게 되는데

1) ④　　　　　　　　　　2) ②

[예시]

　며칠 전에 〈비밀의 밤〉이라는 추리 영화를 보게 되었다. 영화의 주인공 수진은 비 오는 늦은 밤 교통사고를 당한다. 그 사고로 기억을 잃고 가족들의 보호를 받으면서 지내게 된다. 그런데 어느 날 수진이 전화를 받고 사고 장소로 달려가는데 그곳에서 잃어버린 기억이 모두 떠오른다. 그 기억에는 반전이 있었는데 영화 후반부에 밝혀지는 내용을 보면서 온몸에 소름이 돋았다. 놀라운 스토리와 배우들의 뛰어난 연기력, 신선한 연출까지 지루할 틈이 없는 영화였다.

1) 긴장감이 넘치는 추리 영화였다
2) 전화를 받더니 깜짝 놀라서 사고 장소로 달려간다
3) 수진의 사고와 사라진 기억에는 예상하지 못한 반전이 있었다
4) 계속 긴장하면서 영화를 보다 보니 두 시간이 금방 지나 있었다
5) 배우들의 뛰어난 연기력과 신선한 연출이 더해져 지루할 틈이 없는 영화였다

11 ✎　저는 춘천에 대해 소개하겠습니다

2) 한국 대표 음식으로서 널리 알려져 있다.
3) 영화 촬영지로서 아주 유명하다.
4) 고전 소설로서 지금도 널리 읽히고 있다.

5) 정치인으로서 항상 국민을 생각해야 한다.
6) 배우로서 연기를 잘하는 것은 당연하다.
7) 장학생으로서 더 열심히 공부할 것이다.

1) 나는 한국어 선생님으로서 최선을 다해 가르치려고 한다
2) 나는 작가로서 언제나 식상하지 않은 이야기를 쓰려고 노력한다
3) 무궁화는 한국을 대표하는 꽃으로서 나라의 중요한 행사에 꼭 사용된다
4) 불국사는 한국의 유명한 사찰로서 해마다 많은 사람들이 방문한다

[예시]

1) '달리자'는 인기 예능 프로그램으로서 10년이 넘게 방송되고 있다
2) 이곳은 남편을 처음 만난 장소로서 나에게는 아주 특별한 곳이다
3) 추석은 한국의 대표 명절로서 한국 사람들에게 아주 중요한 날이다
4) 나는 영화감독으로서 영화 제작에 많은 책임감을 느낀다

1) 저는 제 고향인 부산에 대해서 소개하고 싶어요
2) 저는 세계적으로 유명한 관광지에 대해서 발표할 거예요
3) 저는 조선의 궁궐에 대해서 연구하고 있어요
4) 오늘 선생님께 제 고민에 대해서 이야기했어요
5) 그 사람은 제게 상처를 준 일에 대해서 아예 기억하지 못해요

[예시]

1) 나는 정치에 대해서 관심이 많은 편이다
2) 나는 남자 친구와의 결혼에 대해서 진지하게 생각하고 있다
3) 내 친구는 연애에 대해 전혀 관심이 없다
4) 교수님은 한국의 경제 발전에 대해서 설명하셨다

1) 환경이 쾌적하다　　　　　2) 자원이 풍부하다
3) 공장이 모여 있다　　　　　4) 인구가 집중되어 있다
5) 교통의 요충지이다

1) 아름다운 자연을 자랑한다
2) 환경이 쾌적하다.
3) 일자리가 부족하기
4) 사람들이 주로 농사를 짓는데
5) 경제의 중심지 역할을 하기

관광 자원이 풍부한 도시

1) 오늘은 역사의 도시 경주에 대해 소개해 드리겠습니다
2) 한국의 옛 왕조인 신라의 수도로서 유명한 곳이죠
3) 경주는 관광 자원이 풍부한 도시입니다
4) 그중에서 특히 관광객이 많이 찾는 곳이 불국사라는 절인데요
5) 경주에 와서 시내도 둘러보고 불국사도 방문해 보는 건 어떠세요

1) ③　　　　　　　　　　　2) ②

[예시]

　방콕과 런던은 외국인 관광객들이 많이 찾는 도시로 유명하다. 방콕은 태국의 수도로서 관광 자원이 풍부한 도시이다. 런던은 영국의 수도로서 정치, 경제, 사회, 문화의 중심지 역할을 하는 곳이다.

　미국의 알래스카는 금, 석유, 천연가스 같은 자원이 풍부한 곳으로 알려져 있다. 또한 오염되지 않은 깨끗한 물과 공기를 자랑하는 곳이기도 하다.

　네덜란드는 세계에서 가장 많은 튤립과 수선화를 재배한다. 네덜란드에는 바닷물을 막아서 만든 땅이 많아서 소금 성분이 많은 땅에서도 잘 자라는 튤립과 같은 꽃을 키우는 것이다.

1) 태국의 수도로서 관광 자원이 풍부한 도시이다
2) 영국의 수도로서 정치, 경제, 사회, 문화의 중심지 역할을 하는 곳이다
3) 깨끗한 물과 공기를 자랑하는 곳이기도 하다
4) 바닷물을 막아서 만든 땅이 많다
5) 잘 자라는 튤립과 같은 꽃을 키우는 것이다

12 ✐　한국에 대해 발표하고자 합니다

2) 이사한 집은 주변 환경이 쾌적하며
3) 온라인 쇼핑은 환불하기가 힘들며
4) 오늘은 폭설로 인해 길이 미끄러우며
5) 이 음식에는 다양한 재료가 들어 있으며
6) 이 지역은 정치의 중심지이며
7) 그 영화는 배우들의 연기가 뛰어나며

1) 이 도시는 역사가 매우 깊으며 유명한 유적지가 많습니다
2) 이 병에 걸리면 숨을 쉬기가 어려우며 심한 두통이 나타납니다
3) 방콕은 볼거리가 많으며 물가도 저렴해서 인기 있는 관광지입니다
4) 그곳에서는 멋있는 풍경을 볼 수 있으며 다양한 수상 레포츠도 즐길 수 있습니다

[예시]

1) 안나는 성격이 적극적이며 활발해서 친구가 많다
2) 부산은 한국에서 두 번째로 큰 도시이며, 아름다운 바다로 유명하다
3) 이 스마트폰은 가벼우며 가격도 싸서 인기가 많다
4) 그 사업은 큰돈이 필요하지 않으며 열정만 있으면 누구나 시작할 수 있다

1) 한국의 역사에 대해 논문을 쓰고자 합니다
2) 환경을 위해 플라스틱 사용을 줄이고자 합니다
3) 세종 대왕이 한글을 만든 이유에 대해 알아보고자 합니다
4) 여러분의 다양한 의견을 듣고자 합니다
5) 지친 사람들에게 위로가 되는 프로그램을 만들고자 합니다

[예시]

1) 열심히 돈을 모아서 세계 일주를 하고자 합니다
2) 한국어를 열심히 공부해서 한국으로 유학을 가고자 합니다
3) 열심히 연구해서 새로운 기술을 개발하고자 합니다
4) 다양한 방법으로 홍보해서 제품에 대한 관심을 높이고자 합니다

1) 민족　　　　　　　　　2) 정치 제도
3) 상징　　　　　　　　　4) 화폐
5) 주요 산업

1) 면적이　　　　　　　　2) 기후는
3) 종교는　　　　　　　　4) 언어로
5) 화폐는

오염되지 않은 자연환경으로 유명한 나라

자료
출처
—
4A

※ 이 교재는 산돌폰트 외 Ryu 고운한글돋움OTF, Ryu 고운한글바탕OTF 등을 사용하여 제작되었습니다. Ryu 고운한글돋움OTF, Ryu 고운한글바탕OTF 서체는 서체 디자이너 류양희 님에게서 제공 받았습니다.
※ 강승희, 곽명주, 박가을, 이재영, 정원교 작가와 함께 작업했습니다.

| 게티이미지코리아 |
11과 69쪽_2번 (좌로부터)②, ③

| 셔터스톡 |
스피커 아이콘
말풍선
연필 아이콘
1과 6쪽; 7쪽　2과 12쪽; 13쪽　3과 18쪽; 19쪽; 22쪽　4과 24쪽; 25쪽　5과 30쪽; 31쪽　6과 36쪽; 37쪽_1번 (좌), 2번　7과 42쪽; 43쪽　9과 56쪽; 57쪽_2번 (우); 58쪽; 59쪽　10과 66쪽; 67쪽　11과 69쪽_2번 (좌로부터)①, ④　12과 72쪽; 73쪽;　부록 79쪽

세종한국어 | 익힘책 4A

문화체육관광부
국립국어원

(07511) 서울 강서구 금낭화로 154
전화: +82 (0) 2-2669-9775
전송: +82 (0) 2-2669-9747
홈페이지 http://www.korean.go.kr

기획·담당	박미영	국립국어원 학예연구사
	조 은	국립국어원 학예연구사
책임 집필	이정희	경희대학교 국제교육원 교수
공동 집필	최은지	원광디지털대학교 한국어문화학과 교수
	김금숙	상지대학교 한국어문화학과 조교수
	김민경	고려대학교 교양교육원 초빙교수
	김가람	전북대학교 교과교육연구소 연구교수
	윤세윤	경희대학교 국제교육원 객원교수
집필 보조	김민아	서울대학교 국어교육과 박사수료
	김지예	고려대학교 교양교육원 강사
	정성호	경희대학교 국어국문학과 박사수료
	서유리	경희대학교 국어국문학과 박사과정

초판 1쇄 인쇄   2022년 8월 15일
초판 1쇄 발행   2022년 9월 1일
ISBN 978-89-97134-36-6 (14710)
ISBN 978-89-97134-21-2 (세트)

출판·유통   공앤박 주식회사 (www.kongnpark.com)
(05116) 서울시 광진구 광나루로56길 85,
프라임센터 1518호
전화: +82 (0) 2-565-1531
전송: +82 (0) 2-3445-1080
전자우편: info@kongnpark.com

총괄 | 공경용
책임 편집 | 이유진, 이진덕, 여인영
편집 | 김령희, 성수정, 최은정, 함소연
아트디렉팅 | 오진경
디자인 | 이종우, 서은아, 이승희
제작 | 공일석, 최진호
IT 지원 | 손대철, 김세훈
마케팅 | Sung A. Jung, Paulina Zolta, 윤성호